—

TANGO
DLA TROJGA

MARIA NUROWSKA

—

autorka powieści i dramatów. Wydała ponad dwadzieścia książek, m.in. *Listy miłości* (1991), sagę *Panny i wdowy* (1991–1993), *Rosyjskiego kochanka* (1996), *Miłośnicę* (1999), *Niemiecki taniec* (2000), opowieść biograficzną o Ryszardzie Kuklińskim *Mój przyjaciel zdrajca* (2004), trylogię ukraińską: *Imię twoje...* (2003), *Powrót do Lwowa* (2005), *Dwie miłości* (2006) oraz wspomnienia *Księżyc nad Zakopanem* (2006). W 2008 roku nakładem W.A.B. ukazała się książka biograficzna *Anders*, w 2009 – najnowsza powieść *Sprawa Niny S.* Powieści Marii Nurowskiej zostały przetłumaczone na dwanaście języków, w tym chiński i koreański. We Francji i w Niemczech były bestsellerami.

MARIA NUROWSKA
—
TANGO
DLA TROJGA

POL NUR

Nienasycony Czasie, stępiaj lwie pazury,
Każ ziemi, niech pożera najmilsze swe dzieci

William Shakespeare, *Sonet 19*
(przeł. Stanisław Barańczak)

Wiem, co się stało. Wiem także, gdzie jestem. Widziałam tamten samochód, a jednak nie zdjęłam nogi z gazu. Dlaczego... To jedno nie jest dla mnie jasne. Przecież ani przez chwilę nie pomyślałam o samobójstwie. Więc dlaczego... Powinnam była przyhamować, aby on zdążył uciec na swój pas. To była jedyna szansa na ocalenie. Ale tego nie uczyniłam. Może dlatego że jestem słabym kierowcą, a może tak się wczułam w rolę, że postanowiłam grać do końca, nawet swoją śmierć.

Chciałam uciec, to prawda, wiele razy o tym myślałam, żeby schować się gdzieś przed wszystkimi, żeby schować się nawet przed sobą. I udało mi się. Znalazłam sobie kryjówkę. Moje zamknięte powieki dają mi poczucie bezpieczeństwa. Słyszę wszystko, co się dzieje dookoła, kontroluję sytuację. Rozpoznaję kroki, wiem, kto do mnie idzie, lekarz, pielęgniarka, moja mama, wreszcie on we własnej osobie. Tylko jej kroków nie słyszę... Tak postanowiłam, porzucę swoją kryjówkę, kiedy ona do mnie przyjdzie, ani wcześniej, ani później. Ona wejdzie, stanie przy moim łóżku. A ja uniosę powieki i spojrzymy sobie w oczy. Do tego czasu muszę grać tę jedną z najtrudniejszych ról. Tym razem widzami są profesjonaliści, lekarze, którzy mają pełną kontrolę nad moim ciałem. Podłączone zostało do różnych aparatów. Na szczęście nie wymyślono jeszcze takiego sprzętu, który kontrolowałby duszę. Więc jestem bezpieczna. Muszę tylko uważać, by nie poruszać oczyma, by nie drgnęła mi powieka, kiedy ktoś przebywa w pobliżu. Najważniejsze, że znowu gram. I mam poczucie, iż w pełni panuję nad rolą i nad widzami. Sądziłam, że to już nie nastąpi, że lęk przed wejściem na scenę nie opuści mnie już nigdy.

Teatr od dzieciństwa był moim przeznaczeniem. Jako mała dziewczynka bawiłam się w teatr. Pierwszymi widzami były moje lalki. Sadzałam je rzędem na kanapie i odgrywałam przed nimi przedstawienie. Najczęściej przebierałam się w suknie mamy. Potem, jako licealistka, myśląc już całkiem poważnie o zdawaniu do Szkoły Teatralnej, jeździłam na wszystkie ważniejsze spektakle do Warszawy. Jeździliśmy oboje z Darkiem. W naszym miasteczku nie było teatru, a ten najbliższy był teatrem tylko z nazwy.

– Same miernoty – stwierdzał Darek, bardzo surowy w swoich ocenach. Jedynym aktorem, którego naprawdę cenił, był Tadeusz Łącki.

– To jest ktoś – mówił – kto mógłby stanąć obok Laurence'a Oliviera, a reszta to miernoty.

Mimo że byliśmy rówieśnikami, uważałam Darka za autorytet, wydawał mi się bardzo mądry, a przynajmniej mądrzejszy ode mnie. Najpierw połączyło nas zamiłowanie do teatru, a potem, jak to się w szkole mówiło, zaczęliśmy ze sobą chodzić. Ale inaczej to wyglądało, niż sobie wyobrażałam. Przyjaciółki zwierzały mi się, jak wyglądają ich randki, i mowa była nie tylko o pocałunkach, także o dużo bliższej zażyłości. Te opowieści działały na moją wyobraźnię, ale Darek zupełnie nie był tego świadom. Wyglądało na to, że chodzenie ze mną traktuje dosłownie, jako... spacerowanie. Kiedy szliśmy razem, niemal musiałam biec, bo stawiał duże kroki. Odprowadzał mnie do domu, rozwalał się na moim tapczaniku i zaczynał opowiadać o swoich przemyśleniach na temat świata i ludzi. Właściwie nie wiadomo było, czy jesteśmy parą; Darek nie uczynił nigdy wobec mnie żadnego osobistego gestu. Nie przytulił mnie, co więc mówić o pocałowaniu. A tego oczekiwałam.

– Czy ja ci się podobam? – spytałam go wreszcie, przerywając w pół słowa jakiś jego wywód.

Spojrzał na mnie.

– Co przez to rozumiesz?

– No... czy... czy jestem dla ciebie kobietą... – wyjąkałam.

– Kobietą? – powtórzył niemal z odrazą. – Co ja bym z tobą robił, jakbyś była kobietą!

Zbiło mnie to z tropu. Zaczęło mi się zbierać na płacz.

– To kim dla ciebie jestem?

– Ty to ty – odparł i wrócił do poprzedniej myśli.

Trudno mi teraz powiedzieć, czy byłam w nim zakochana, z pewnością był mi kimś bliskim, bliższym niż inni chłopcy, których znałam. Tylko z nim wyobrażałam sobie scenę, w której oboje jesteśmy nadzy. Jemu pozwoliłabym się dotknąć. Ale on wyraźnie nie był tym zainteresowany. Nawet podczas naszych wypraw do Warszawy, kiedy wiele godzin spędziliśmy w pociągu, często sami w przedziale. W końcu domyśliłam się, iż Darek pewnie boi się kompromitacji, pożerała go przecież ambicja, a w sprawach seksu oboje byliśmy zieloni. Postanowiłam więc wziąć wszystko w swoje ręce. Przygotowywaliśmy się do matury i Darek spędzał u mnie całe noce. Kiedyś nad ranem odłożyłam książkę.

– Boisz się? – spytałam zaczepnie.

– Ja?

– Ty!

Patrzyliśmy sobie w oczy.

– Czego miałbym się niby bać?

– Kochać się ze mną.

Zrobił taką minę, że musiałam się roześmiać. Teraz ja byłam od niego mądrzejsza, czy raczej dojrzalsza, i mimo że nie miałam żadnego doświadczenia, intuicja mi podpowiadała, jak mam się zachowywać. Potem już oboje wiedzieliśmy, co trzeba robić. Gdzieś tam w głębi czułam jednak rozczarowanie.

Kroki. To jego kroki. Przychodzi kilka razy dziennie. Siada i mówi do mnie. Czy kocham tego mężczyznę?

Zdałam do Szkoły Teatralnej w Warszawie. Darek dostał się na wydział filozofii. Wspólnie wynajęliśmy niedrogą kawalerkę w nowym osiedlu, daleko od Śródmieścia. Można było przypuszczać, że moje życie toczy się według planu. Zamieszkałam z chłopakiem, który miał zostać moim mężem, a ja przygotowywałam się do zawodu aktorki. To też było przecież dawno zaplanowane. Ale pewnego dnia wszystko się zachwiało. Byłam wtedy na trzecim roku studiów. Tuż po zajęciach podszedł do mnie mój profesor.

– Olu, przyglądam ci się od dłuższego czasu. Co byś na to powiedziała, gdybym zaproponował ci rolę w spektaklu, który teraz reżyseruję?

Chyba się zaczerwieniłam.

– Nie wiem, panie profesorze, czy sobie poradzę.

– Ale ja wiem – odrzekł zdecydowanie. – Potrzebuję twojej świeżości, twojego entuzjazmu...

Nie wiedziałam wtedy, że te słowa przypieczętują mój los.

Że on mi proponuje rolę, której nie potrafię sprostać. Przecież dlatego tu teraz jestem...

Ale wtedy nie miałam o tym pojęcia. Wpadłam do kawalerki na wpół przytomna z emocji.

– Darek! Dostałam rolę! Rolę Iriny w *Trzech siostrach*! Reżyserem będzie Zygmunt Kmita!

– Przecież się dopiero uczysz! – odrzekł niemal niechętnie.

Bardzo mnie zranił jego brak entuzjazmu, sądziłam, że się będzie cieszył razem ze mną. Nie liczyłam na to, że wpadnie w euforię, ale nie musiał też robić takiej miny, jakbym powiedziała nie wiem jaką bzdurę. To było takie wyróżnienie! Miałam wystąpić z profesjonalnymi aktorami, i to od razu w jednej z głównych ról! Co prawda w *Trzech siostrach* mogłam zagrać tylko Irinę, bo przecież nie Anfisę... Irina! Boże, niemal nie mogłam uwierzyć, że dano mi tę rolę. Że on mi ją dał, mój profesor.

Na trzecim roku oprócz mnie było kilkanaście innych studentek i wszystkie marzyły o takiej roli. Wielu z nich nie dorównywałam urodą, a prawdę powiedziawszy, one wszystkie były ode mnie ładniejsze. Taka Justyna Kalinowska albo Marzenka Bielecka; obie miały bardzo piękne twarze. A jakie figury! To oczywiście nie jest najważniejsze, ale talentu też im nie brakowało. Justyna była zresztą ulubienicą większości profesorów, zawsze ją wybierano do głównych ról w szkolnych przedstawieniach. I naraz wybór Kmity padł właśnie na mnie. Powinnam skakać pod sufit, a Darek razem ze mną. Ale on miał taką minę, jakby go nagle rozbolał ząb.

– Co z tego, że się dopiero uczę? – spytałam niemal wrogo, myśląc jednocześnie, że już się nie rozumiemy tak dobrze jak kiedyś, że nasze drogi się rozchodzą.

– To, że studentowi pierwszego roku politechniki nie proponuje się wykonania projektu mostu, bo taki most się może zawalić.

Patrzyłam na niego w osłupieniu.

– Nie studiuję na politechnice, ale w Szkole Teatralnej! I nie na pierwszym roku, ale na trzecim!

– Niemniej studiujesz! Jeszcze studiujesz!

Było coś takiego w jego głosie, że przez chwilę poczułam lęk. Może on ma rację, może widzi coś, czego ja nie dostrzegłam? Jakieś ukryte niebezpieczeństwo.

No bo chyba nie myśli, że się potknę albo zapomnę tekstu... A może to zwyczajna zazdrość, że zaczynam iść w górę, że dostałam rolę, podczas gdy on ciągle jest tylko studentem.

– Mówisz tak, bo jesteś zazdrosny – powiedziałam wreszcie.

Parsknął śmiechem.

– O kogo mam być zazdrosny? O tego karła?

Musiał dostrzec, że nie bardzo rozumiem, o co mu chodzi, bo dodał:

– Ten twój reżyser, niby taki przystojny, a ma za duży łeb w stosunku do reszty. Jak karzeł!

Więc tak zrozumiał moje słowa! Wtedy nie myślałam o Zygmuncie jak o mężczyźnie, wtedy był dla mnie wyłącznie profesorem i reżyserem sztuki, w której miałam zadebiutować.

Wkraczałam w inny świat. W domu Prozorowów nakrywano stół do śniadania, Olga, w granatowym stroju nauczycielki, poprawiała zeszyty, chodząc po pokoju, Masza, w czarnej sukni, z kapeluszem na kolanach, siedziała i czytała książkę, a Irina, w białej, stała zamyślona. Więc stałam zamyślona w tej białej sukni i byłam Iriną. Przylegałam do niej całą sobą, ciasny staniczek z koronką opinał jej, nie moje piersi, a pod moją czaszką przepływały jej myśli. Rzeczywistość z wolna odchodziła, a ja coraz bardziej zespalałam się z postacią, którą miałam zagrać. Nie zostawiłam sobie żadnego marginesu, bo nikt mi nie powiedział, że tak trzeba. Myślałam, że należy siebie oddać ze wszystkim, a nie tylko wypożyczyć.

Kiedy z ust aktorki grającej Olgę, sławnej zresztą mojej koleżanki, padły słowa:

— *Pamiętam, kiedy ojca nieśli, grała orkiestra, potem te salwy na cmentarzu. Ojciec był generałem, dowódcą brygady, a jednak ludzi przyszło niewiele. Co prawda, deszcz wtedy padał. Deszcz i śnieg.*[*]

Więc kiedy ona umilkła, Irina powiedziała:

— *Po co wspominać!*

Stała oparta plecami o kolumnę, a jej oczy zasnuwała nostalgia. „Po co wspominać" – to jedno zdanie, wypowiedziane z westchnieniem, zmieniło całe moje dotychczasowe życie, sprawiło, że rozminęłam się z dziewczyną, którą byłam do tej pory. Już jej nie rozumiałam. Nie mogłam pojąć, po co się tak miota, po co się tak śpieszy, by zdążyć na zajęcia z dykcji, a potem kupuje w sklepie bułki, twarożek, żółty ser. I jeszcze zatłoczony do granic możliwości autobus. Irina by nim nie jechała, bo wtedy takiego autobusu nie było. Irina nie chodziłaby też do łóżka z Darkiem. Więc i ja robiłam to coraz rzadziej, aż wreszcie tego zaniechałam.

---

[*] Wszystkie cytaty z *Trzech sióstr* Antoniego Czechowa w przekładzie Natalii Gałczyńskiej.

– Nie – mówiłam, napotykając jego pytający wzrok.
– Teraz mam premierę.
– Będziesz miała niejedną – odpowiadał.
– Ale ta jest pierwsza, najważniejsza. Jaką mnie teraz zobaczą, taką już dla nich zostanę, zdolna albo niezdolna!
– Właśnie! – wykrzyknął. – I będzie to zasługa tego karła!
– Nie nazywaj tak pana Kmity! – oburzyłam się.
– Pan Kmita! Mierny aktor i taki sam reżyser. Jedzie na jakiejś tam opinii, a może to ta jego wiecznie uśmiechnięta gęba!
– Za co tak go nienawidzisz?
Wzruszył ramionami.
– Nic do niego nie mam, byle tylko ciebie zostawił w spokoju.
– Dał mi szansę.
– Dał szansę sobie! Nie rozumiesz, dlaczego on to robi? Potrzebna mu nowa twarz. Chce tym zwrócić uwagę na siebie, na swój spektakl.
Teraz ja wzruszyłam ramionami.
– Przecież grają w nim same gwiazdy. Właśnie zaangażowanie kogoś tak niedoświadczonego jak ja to dla niego ryzyko, większe jeszcze niż dla mnie.
– Głupia jesteś! Niech się ten twój most zawala, sama się o to prosisz!
Nie brałam do siebie tych wszystkich gorzkich słów.

Darek zachowywał się po prostu jak zazdrosny mężczyzna i trochę mnie to śmieszyło. Bo gdzie mi tam do takiego człowieka jak Zygmunt Kmita! To znaczy... ja go wcale nie idealizowałam. Nie uważałam go za wybitnego aktora. Był chyba lepszym pedagogiem niż odtwórcą. Dokładnie wiedział, jak trzeba grać, co wcale nie znaczyło, że to potrafił. Jako Hamlet mnie nie zachwycił, ale mówił o tej roli porywająco. Gdyby nie uszczypliwe uwagi Darka, pewnie bym się nawet nie zastanawiała nad jego powierzchownością. Po awanturze z moim chłopakiem przyjrzałam się Kmicie podczas próby. Miał na sobie czarny golf i sztruksowe spodnie, mocno ściągnięte w pasie. Z pewnością poświęcał dużo czasu, by zachować szczupłą sylwetkę. Mówił zresztą o tym w wywiadach. Że nie boi się śmierci, jej nadejście traktuje jako coś nieuchronnego. Obawia się natomiast zniedołężnienia, braku formy. Więc chodzi na siłownię, grywa w tenisa. I to było widać. Głupie gadanie Darka przeszkadzało mi, odciągało od tego, co najważniejsze. A najważniejsza była ona, Irina. Przyznawałam jej we wszystkim rację.

Powiedziała o Maszy, że wyszła za mąż, mając osiemnaście lat, bo Kułygin wydawał jej się kimś najmądrzejszym na świecie. A potem przestał jej się takim wydawać. Z pewnością był dobrym człowiekiem, ale nie najmądrzejszym. To się odnosiło także do mojego życia. On już też przestał być najmądrzejszy, mój chłopak. I chyba nie był już moim chłopakiem, bo do świata, do którego przystałam, nie miał wstępu. Bezkarnie mógł się w nim poruszać jedynie ktoś, kto ten świat reżyserował.

– Olu, mówi pani za cicho, nikt pani nie usłyszy w dalszych rzędach!

– Wydaje mi się, że Irina powinna mówić cicho – odrzekłam, pokonując zmieszanie.

– To proszę to tak zagrać – usłyszałam w odpowiedzi. – Proszę zagrać głośno jej ciche mówienie!

Była to chyba najważniejsza wskazówka, jaką od niego otrzymałam. Tak postanowiłam zagrać tę rolę. A właściwie, czy ja w ogóle grałam? Ja przecież byłam nią...

Dzień premiery. Dziwne, ale nie czułam tremy. Widziałam napięte twarze moich partnerów i dziwiłam się, że sama jestem taka obojętna. Jakby to wszystko mnie nie dotyczyło i jakbym to nie ja miała za chwilę po raz pierwszy w życiu wejść na prawdziwą scenę. Weszłam, a raczej pojawiła się na niej Irina. Akt pierwszy, akt drugi...

– *Do Moskwy, do Moskwy, do Moskwy* – mówiła Irina. A potem wygłosiła ostatnią swoją kwestię: – *Przyjdzie czas i ludzie dowiedzą się, po co to wszystko, po co te cierpienia, nie będzie żadnych tajemnic, a na razie trzeba żyć...*

I już garderoba. Nie myślę o niczym. Czy wypadłam dobrze, średnio czy fatalnie. I dla kogo przeznaczone były te brawa, wywoływanie na scenę, raz, drugi, trzeci. Dziesiąty. Powinnam teraz zdjąć teatralny kostium, białą suknię ze staniczkiem obszytym koronką, ale tak do mnie przylega. Wchodzi on, reżyser.

– Nieźle, Olu.

Patrzymy na siebie z uśmiechem. Rzeczywiście ma trochę za dużą głowę, myślę jakoś tak leniwie, jakby połową mózgu. I jeszcze ktoś wchodzi. Wiem, kto to jest. Adam Jałowiecki, tak zwany wybitny krytyk pisujący do ważnej gazety. Obaj panowie się chyba nie lubią, bo Kmita składa chłodny ukłon i wychodzi.

– Pani Aleksandro – mówi krytyk. – Gdybym był młodszy, przyklęknąłbym na kolano, a tak chylę tylko czoło. Była pani najlepszą Iriną, jaką oglądałem w swoim długim życiu. Masz, dziecko, niezwykły talent, nie pozwól nikomu go zniszczyć. Troszkę za wcześnie pani zaczęła, trudno. Od razu znalazła się pani w teatralnym niebie.

Ale tutaj z nieba do piekła droga bardzo bliska. Niech pani uważa. I wybiera z rozwagą propozycje. Myślę, że jedno spotkanie z naszym reżyserem na razie wystarczy. Gdyby chciał więcej, niech go pani przegoni.

– To mój nauczyciel – odpowiedziałam urażona.

– I w tym całe nieszczęście.

Czego on ode mnie chce, po co to wszystko mówi? – myślałam z niechęcią. – Lepiej, żeby sobie poszedł. – O nie – słyszę jego głos. – Tak łatwo się pani mnie nie pozbędzie. Jestem jak człowiek, któremu po czterdziestu dniach na pustyni bez kropli wody podano kielich wina.

– Już by pan dawno nie żył! – roześmiałam się.

– Więc wskrzesiła pani umarłego.

Nie dowierzałam mu, podejrzewałam, że trochę ze mnie kpi. Ale już nazajutrz ukazała się jego recenzja. *Sztuka powinna nosić tytuł „Najmłodsza siostra"* – przeczytałam. Więc chyba sukces – pomyślałam nieco obojętnie. To mnie naprawdę mało obeszło. Najważniejsze było, żeby znów wejść na scenę, bo tylko wtedy czułam się sobą.

Przyszła mama. Oleńko, Olu – słyszę. Lekarze kazali jej do mnie mówić. Więc mówi. Jestem podła, że jej nie odpowiadam. Ją jedną powinnam dopuścić do swojej tajemnicy. Ale przecież nie mogę, nie mogę.

Każda dziewczyna zapamięta swoją pierwszą noc z chłopakiem, nigdy jej nie zapomni. Nawet gdyby się rozstali już następnego dnia. A dla mnie ważniejsze było inne wtajemniczenie, którego doznałam dzięki Zygmuntowi. To on wziął mnie za rękę i wprowadził na scenę. Nie wiem, czy mam to uważać za wielkie szczęście, czy wielkie nieszczęście. Teraz jestem nie-szczęśliwa, ale to dlatego że wszystko tak się skomplikowało i że Zygmunt nie był człowiekiem wolnym, kiedy mnie poznał. Zresztą gdybym nie poznała jej, być może patrzyłabym na to inaczej, a może nie. Uważałabym, że mi się ułożyło życie osobiste. A czy się nie ułożyło? Przecież pokochał mnie człowiek, którego kochałam. Ale umiem być z nim szczęśliwa tylko w rzeczywistości teatralnej, bo tam wszystko jest umowne. Na scenie mogę starzeć się i młodnieć na zawołanie, wiek nie ma żadnego znaczenia. Więc tam nie muszę myśleć o niej. Ona ma te same szanse co ja. I tyle samo od niej zależy. Może już wyjść z cienia. Nie musi stać nieruchomo w kulisach, śledząc każdy mój ruch i kontrolując każde wypowiedziane przeze mnie słowo. Może dlatego zaczęłam się jąkać. Umiałam już tylko bezbłędnie wypowiadać teatralne kwestie. Kwestie Iriny na przykład. Sztuka grana była przy pełnej widowni, mimo że czasy dla teatru nie są sprzyjające.

– Przychodzą oglądać najmłodszą siostrę – mówił z lekkim przekąsem Zygmunt.

Nie mógł darować Jałowieckiemu, że w recenzji słowem nie wspomniał o reżyserii. Zupełnie jakby sztuka wyreżyserowała się sama.

Zrobiłam dyplom i zaangażowano mnie do teatru, do którego kiedyś przyjeżdżałam z mojego miasteczka. Wtedy jednak byłam widzem.

Szło mi świetnie, reżyserzy obsadzali mnie w dużych rolach, jak choćby szekspirowska Julia czy Panna Młoda w *Weselu* Wyspiańskiego. Miewałam na ogół dobre recenzje, ale już nie tak entuzjastyczne jak po moim scenicznym debiucie. W każdym razie Jałowiecki mnie nie opuścił, wnikliwie analizował każdą moją rolę, beształ mnie czasami, ale najczęściej chwalił. Powstało między nami coś na kształt przyjaźni, mimo że spotykaliśmy się tylko w mojej garderobie. Przychodził po spektaklu i rozmawialiśmy chwilę. Zygmunta denerwowały te wizyty, może dlatego że czuł, iż tamten go nie ceni, a każdy aktor potrzebuje uwielbienia, a przynajmniej aprobaty.

– Nie zawracaj sobie nimi głowy, Olu – przestrzegał mnie krytyk. – Aktor zamiast duszy ma duszyczkę, musisz o tym zawsze pamiętać.

– Ja też jestem aktorką.

– Pani! Pani jest boginią – odrzekł z uśmiechem. Ciągle mieszkałam z Darkiem w ciasnej kawalerce na przedmieściu, nasze stosunki stały się raczej koleżeńskie. Bardzo rzadko zdarzało nam się znaleźć razem w łóżku. Ale zdarzało się, nie ma co ukrywać. Widywaliśmy się zresztą tylko późnym wieczorem, po moim powrocie z teatru. Kiedy Darek rano wycho-

22

dził, zwykle jeszcze spałam. Czułam się trochę samotna. Nie miałam wielu przyjaciół, a może należałoby powiedzieć, że w ogóle ich nie miałam. W Szkole byłam dosyć lubiana i do czasu debiutu na scenie często zapraszano mnie na prywatki. Po moim sukcesie zrobiło się wokół mnie pusto.

– To normalne – powiedział Zygmunt. – Tutaj nie ma przyjaźni, tutaj jest konkurencja.

Widywaliśmy się teraz rzadko, on pracował w innym teatrze, a ja przecież nie chodziłam już do Szkoły. Czasami dzwonił, pytał, co u mnie. Ale któregoś dnia zatelefonował z konkretną sprawą.

– Chcemy zrobić objazdówkę z *Siostrami* – powiedział. – W starej obsadzie. Mam nadzieję, że nam nie nawalisz.

Nie miałam takiego zamiaru. Sztuka, w której grałam, zeszła właśnie z afisza, a moja teatralna gaża była raczej symboliczna. Wyjazd na prowincję oznaczał pieniądze.

Korytarzem idą pielęgniarki, tylko one tak stukają chodakami. Zatrzymały się przy moich drzwiach.

– To ta aktorka – dobiega mnie szept.

– Możesz mówić głośno, ona i tak nie usłyszy.

Powrót do tej sztuki był niczym powrót do domu. Ja prawdziwego domu nigdy nie miałam, wychowywała mnie matka, wiecznie zapracowana. Rano chodziła do biura, a popołudniami dorabiała jako bileterka w kinie.

– Kim się pani czuje? – spytał mnie jak zawsze dociekliwy Jałowiecki. – Córką urzędniczki czy bileterki „Cinema Paradiso"? To bardzo ważne.

Zastanowiłam się chwilę.

– Ani jedno, ani drugie. Byłyśmy z mamą jak siostry...

Krytyk strzelił palcami.

– Uciekasz mi, malutka, ale ja sobie z tobą poradzę.

Ja sama nie mogę sobie ze sobą poradzić – pomyślałam. Nie bardzo wiedziałam, kim naprawdę jestem. Role przychodziły i odchodziły, coś mi po trochu odbierając. Za każdym razem miałam poczucie ubytku, straty. A dopiero przekroczyłam dwudziestkę. Co mi zostanie na dalsze lata? Spokój i harmonię wnosiła w moje życie jedynie rola Iriny. Byłyśmy ze sobą zrośnięte, ona była mną, ja nią. Kiedy stałam oparta o kolumnę w salonie Prozorowów, kiedy ona stała i wypowiadała to zdanie: *Po co wspominać!*, wszystko wracało na swoje miejsce. Bardzo dobra atmosfera panowała też w naszym zespole. Nazywaliśmy siebie „trupą objazdową" i staraliśmy się nie zważać na dość uciążliwe warunki w podróży. Jeździliśmy zdezelowanym busem wypożyczonym z teatru, a nocowaliśmy w hotelach, w których bywało różnie. Wraz z reformą Balcerowicza Polska zmieniała się w oczach, prywatyzowała się, ale większość prowincjonalnych hoteli pozostawała w rękach państwa, i to się czuło. Zszarzała pościel, na oknach zasłony we wściekłych kolorach, a w restauracji podłe jedzenie. Nie przejmowaliśmy się, to znaczy staraliśmy się tego wszystkiego nie dostrzegać. Kiedy wracałam zmęczona po spektaklu, nie ryzykowałam kąpieli w wannie, bo wydawała mi się niedomyta; na wszelki wypadek brałam prysznic, zalewając przy okazji pół łazienki.

To było kolejne miasto na naszej trasie. Wróciłam do garderoby po trzecim akcie. Przede mną był jeszcze akt czwarty. Usiadłam i zobaczyłam na poręczy krzesła czarny sweter Zygmunta, golf. Często w nim chodził. Widać musiało mu być za gorąco, więc go zdjął i zostawił tutaj. Garderobę mieliśmy wszyscy wspólną.

Patrząc na ten sweter, pomyślałam, że niedługo wypowiem pewne zdanie w dialogu z Tuzenbachem:

– *Ani razu w życiu nie byłam zakochana. A tak marzyłam o miłości, marzę już dawno, dniami i nocami, ale moja dusza jest jak drogocenny fortepian – zamknęli go, a klucz zgubili...*

Prawie bezwiednie podeszłam i dotknęłam swetra. I ogarnęło mnie nagłe olśnienie. Przecież ja kocham! Kocham tego człowieka od dawna, być może

25

już od tamtego dnia, kiedy podczas pierwszej próby ujął mnie za podbródek i spoglądając mi w oczy, powiedział:

– *Trzy siostry* są sztuką akcji wewnętrznej. Wszystko dzieje się w głowach bohaterów. I pamiętaj, to nie jest smutna sztuka, to sztuka nostalgiczna!

Patrzyły na mnie ciepło jego oczy.

– Rozumiemy się?

Skinęłam głową, a moje rozwichrzone włosy dotknęły jego twarzy. Śmiesznie zmarszczył nos.

Zaczął się czwarty akt. Weszłam na scenę, ale strasznie trudno mi było grać. Niemal zapominałam tekstu, a przy zdaniu *Ani razu w życiu nie byłam zakochana* myślałam, że to nieprawda, nieprawda, i bałam się, aby nie wypowiedzieć tego głośno. Kiedy znalazłam się w hotelowym pokoju, stanęłam przed lustrem, zapaliwszy przedtem górne światło. Patrzyłam na swoją twarz. Badałam ją. Czy była ładna... Gdyby analizować ją w szczegółach, nie wypadłaby najlepiej. Miałam duże orzechowe oczy w ciemnej oprawie. Potem był nos, mało ciekawy, odrobinę jakby za długi, usta pełne, z lekko wywiniętą dolną wargą, a dalej szpiczasty podbródek. Ale to się jakoś układało w całość. No i moim atutem były włosy, puszyste, naturalnie jasne, czego mi zazdrościły koleżanki. Zwykle nosiłam je rozpuszczone, a ich ruchliwa obecność sprawiała, że nie zwracało się uwagi na nos. Zmorą mojego dzieciństwa było przezwisko: Pinokio. W dodatku bałam się tej bajki, tak okrutnej, bałam się też samego pajacyka z za długim nosem. I właśnie z nim mnie kiedyś porównywano. Dawno temu. Teraz byłam dorosłą kobietą, stałam przed lustrem i zadawałam sobie pytanie: Czy można mnie pokochać? Minął cały rok, zanim znalazłam na nie odpowiedź. Stałam więc przed lustrem i medytowałam nad swoją twarzą. Można ją było nazwać ładną, można też było określić ją nie jako brzydką, ale mało ciekawą. A moje ciało? Chyba było odpowiednio wyrzeźbione. Zygmunt powiedział kiedyś:

– Masz nogi Zośki Loren, tyle że ona jest od ciebie wyższa, więc jej nogi są dłuższe!

Zauważył moje nogi. A może powiedział to żartem.

Lubił żartować. Był chyba mistrzem żartu sytuacyjnego, czasami nawet trochę przesadzał. Ale jemu się wybaczało, jemu wybaczało się wiele.

I co teraz będzie? – pomyślałam bezradnie.

O Boże, to znowu mama. W dodatku płacze!

Odwiedziliśmy jeszcze kilka miast, zanim wróciliśmy do Warszawy. Koledzy zauważyli, że jestem bez humoru, ale tłumaczyłam to zmęczeniem.

– Zmęczyliśmy naszą dziewczynkę – powiedział z przejęciem Zygmunt.

Różnie do mnie mówił: ty, pani, dziewczynko, maleńka... A jak o mnie myślał? Wiedziałam, kim jest dla mnie, ale nie miałam pojęcia, kim ja jestem dla niego. Czy tylko jego byłą studentką? Profesor i adeptka. Czy to było to? I może jeszcze jego gwiazdą. Albo raczej jego dziełem. Z pewnością myśli sobie, że mnie stworzył, uformował jako aktorkę. Na szczęście nie doszło do niego, co powiedział o nas Jałowiecki: „Uczennica przerosła mistrza". Chyba z czystej złośliwości umniejszał talent Zygmunta jako aktora i pedagoga. On umiał przekazać innym to, do czego sam doszedł w aktorstwie, co jest sztuką nie lada. Podobno taki Olbrzym jak Tadeusz Łącki nauczycielem był słabym. Można się było jedynie uczyć, patrząc na jego grę. Ale to zwykle była lekcja pokory. Nagrałam na kasetę sztukę o Bogusławskim. Jego genialna rola. Ilekroć ją oglądam, po policzkach płyną mi łzy.

Odczuwam nagłą tęsknotę za światem, od którego tak się oddaliłam. Moje wakacje już mi się wcale nie wydają wakacjami, ja się ich boję... boję się bezruchu i milczenia... Ale jak mam teraz przerwać... Przecież to miał być protest przeciw temu, co mnie spotkało... A co mnie spotkało... Jechałam do naszego nowo wybudowanego domu pod Warszawą, w pięknej okolicy, pełnej drzew. Teraz jest jesień, ale wiosną musi tam być jeszcze piękniej. Pewnie śpiewają ptaki.

– Dwa piętra naszego szczęścia – powiedział Zygmunt przez telefon – są gotowe. Przywiozę w południe meble, więc z teatru jedź prosto tutaj...
I jechałam. Ale nie dojechałam. Czy dlatego że nie mogłam? Czy nie chciałam dojechać?

Co to znaczy być aktorką... Granica pomiędzy pracą, zawodem a moim życiem coraz bardziej się zacierała. Uciekałam w swoje role, żyłam nimi, nie chcąc wracać do tej wystraszonej dziewczyny, jaką wtedy byłam. Bałam się tego, co czuję do Zygmunta. Bałam się nieznanego... Nie dość że nie wiedziałam, jak należy kochać mężczyznę, to zupełnie nie miałam pojęcia, jak należy kochać mężczyznę starszego o trzydzieści niemal lat. A może to wcale nie była miłość?... Może tylko tak odczuwałam jego obecność w moim życiu? Nadal był obecny, chociaż nie stykaliśmy się ze sobą tak często jak wtedy, gdy studiowałam w Szkole, a potem w czasie prób do *Trzech sióstr*. Był to chyba jak dotąd mój najszczęśliwszy okres w życiu. Czułam, że rola Iriny mi wychodzi, inni też to czuli. A co najważniejsze, czuł to Zygmunt. Miałam tuż przed sobą jego skupione oczy, tak blisko, że potrafiłabym policzyć ciemniejsze plamki na zielonych tęczówkach. Więc może to tylko przyzwyczajenie? Ale skoro tak, dlaczego byłam taka nieszczęśliwa i zagubiona, a obecność Zygmunta nie przynosiła już ukojenia. Przy nim mój strach się jeszcze potęgował.

– Olu, co się z tobą dzieje? – pytał.

– Jestem zmęczona. Te powroty z teatru po nocy autobusem, czasami czekam na przystanku nawet godzinę...

Powiedziałam to, żeby się jakoś usprawiedliwić. Wcale się tak znowu nie męczyłam, o tej porze autobus był zwykle pusty, miałam miejsce siedzące, a przystanek znajdował się o krok od domu.

W kilka dni później, kiedy po spektaklu szłam w stronę przystanku, zauważyłam, że jedzie za mną jakiś samochód. Przeraziło mnie to, przyśpieszyłam kroku. Samochód zrównał się ze mną i wtedy zobaczyłam za kierownicą Zygmunta.

– Nie poznaje się starych znajomych – zażartował.

– Co pan tu robi? – spytałam.

Mimo że jeszcze w Szkole panował zwyczaj, iż profesorowie i studenci mówią sobie po imieniu, ja nigdy się na to nie odważyłam, nie tylko zresztą w stosunku do Zygmunta.

– Wskakuj i nie pytaj.

Usiadłam obok niego, tak zdenerwowana, że nie mogłam mówić. On też się nie odzywał. Samochód stał przy krawężniku.

– No? – spytał wreszcie. – Zamurowało cię?

– Dlaczego stoimy? – wykrztusiłam.

– Bo nie znamy adresu.

I wtedy zrozumiałam, że przyjechał specjalnie, aby mnie odwieźć do domu. Potraktował serio to, co powiedziałam wcześniej. Ktoś z boku mógłby sądzić, że znalazł pretekst, aby się ze mną spotkać. Ale ja wiem, jak było naprawdę. Miał wolny wieczór i postanowił mnie odwieźć. Na ulicach było pusto, więc nasza podróż trwała wszystkiego kilkanaście minut. Dla mnie jednak była jedną z najważniejszych w życiu.

– Może pan wstąpi na chwilę? – odważyłam się spytać.

– Może bym wstąpił, gdybyś mi wreszcie powiedziała ty.

– Więc może wstąpisz?

Roześmiał się.

– Innym razem, Olu. Raniutko wyruszam do Łodzi. Mam postsynchrony.

Weszłam na górę oszołomiona. To było nasze pierwsze prywatne spotkanie, niemające nic wspólnego z pracą.

Przynajmniej dla mnie. Być może dla niego znaczyło co innego: zrobił dobry uczynek, odwożąc do domu byłą studentkę. W tym fatalnym wywiadzie, w którym zdecydował się mówić o naszym związku, wyznał: *To uczucie nie wybuchło od razu, albo też długo było nieuświadomione, póki trwała ta niejasna relacja pomiędzy nauczycielem a studentką...* Nauczyciel i studentka... Z pewnością taka wypadła mu rola, uczył mnie zawodu, tego, jak mam się zachowywać na scenie, a potem, jak mam się zachowywać w miłości. Ale tym razem okazałam się znacznie gorszą uczennicą, byłam krnąbrna i sprawiałam mu trudności wychowawcze...

Czy on kiedykolwiek zrozumie mój obecny stan? Czy zrozumie, dlaczego chwilowo nie chcę wrócić do życia...

Od tamtej rozmowy pod moim domem minęło pół roku. Któregoś dnia zaproponowano mi rolę w filmie. Główną rolę! Moim partnerem miał być Zygmunt Kmita. Nie wiedziałam o tym, kiedy się go radziłam, czy mam ją przyjąć.

– Jasne, nad czym się zastanawiasz.

– Nie znam kina, jestem aktorką teatralną.

– Dobrze, że tak myślisz. Kino to coś drugorzędnego... Ale jest nam potrzebne. Nie my jemu, ono nam. Przynosi popularność, pieniądze. A realizować się będziesz w teatrze.

– Sama nie wiem – odrzekłam. – Mam takie uczucie, że kino mi coś odbierze...

– Nie dopuszczę do tego.

I dotrzymał słowa. Był przy mnie od pierwszego dnia zdjęć. To właśnie wydawało mi się najgorsze, bo nie chciałam, żeby był świadkiem mojej kompromitacji. Stanęłam przed zupełnie nieznanym mi zadaniem, tutaj nie było widzów, tylko oko kamery, zimne, wręcz szydercze. Gdzieś za kamerą ukrywał się reżyser, który obserwował w milczeniu moją grę. W pewnej chwili tego nie wytrzymałam, uciekłam z planu z płaczem. Zygmunt przyszedł do mnie.

– Mówiłam ci, że się nie nadaję. Jestem aktorką teatralną, a nie filmową.

– Olu, jest dobrze.

– Dobrze? – nie mogłam ukryć zdziwienia.

– Nawet bardzo dobrze.

Film odniósł sukces u publiczności, krytycy okazali mniej entuzjazmu. Byłam teraz rozpoznawana na ulicy. Proszono mnie nawet o autografy. Opowiedziałam o tym ze śmiechem Zygmuntowi.

– Widzisz, słuchaj starego profesora, źle na tym nie wyjdziesz.

– Nie jesteś stary.

– Dla ciebie pewnie jestem. Moja córka opowiadała mi o jakimś staruszku, który potem okazał się młodszy ode mnie o dwa lata! A ona jest w twoim wieku.

Córka. Tak oto po raz pierwszy w naszej rozmowie pojawił się temat jego rodziny. Wiedziałam, że ma żonę aktorkę, która przed laty zrezygnowała z kariery, aby wychowywać dzieci. Mieli ich dwoje. Córkę, tę w moim wieku, i młodszego o kilka lat syna. Zygmunt

33

chyba bardzo go kochał. Nigdy tego nie powiedział, ale to się wyczuwało. A poza tym ciągle słyszałam plotki o jakiejś jego nowej kochance. Po Szkole krążyło nawet takie powiedzenie: „Strzeż się ciąży, Kmita krąży". To mnie wtedy jednak nie raniło. Wszystko zmieniło się tego dnia, kiedy w prowincjonalnym mieście weszłam do garderoby i zobaczyłam na oparciu krzesła jego sweter...

Ilekroć lekarz wchodzi do mojego boksu, bo to jest taki boks z oszkloną ścianą – kiedy mnie tu przywieziono, zdążyłam jeszcze rzucić okiem na otoczenie, zanim zrejterowałam – zawsze odczuwam lęk, że zostanę zdemaskowana.

Bałam się, że zostanę zdemaskowana przez Zygmunta, który odkryje w końcu przyczynę moich złych humorów i po prostu się ode mnie odwróci. Wiele moich koleżanek się w nim podkochiwało, był przecież znanym aktorem i wykładowcą, a poza tym mógł się podobać jako mężczyzna. Nawet bardzo. Złośliwi mówili o nim: pierwszy amant polskiego kina. Kiedyś pewna dziennikarka zrobiła wśród studentek Szkoły sondę, pytając je, co myślą o Zygmuncie.

– On uwielbia kobiety – powiedziała któraś z moich koleżanek. – My to odgadujemy i w jego obecności czujemy się wspaniale.

I ja tak się czułam, do czasu. Przedtem nie obchodziło mnie, że jest człowiekiem żonatym. Nie myślałam o jego żonie. Było to tym łatwiejsze, że za moich czasów jej nazwisko już nie funkcjonowało ani w teatrze, ani w filmie. Nie pamiętałam go nawet. Chciałam spytać o nią Jałowieckiego, ale to nazwisko... W końcu spytałam, co myśli o żonie pana Kmity jako o aktorce.

– Elżbieta Górniak najlepszą kreację stworzyła w sztuce *Męczeństwo i śmierć Jeana Paula Marata*... Goła jak ją Pan Bóg stworzył stała na scenie. Jak posąg. I trzeba przyznać, że był to posąg doskonały. Rola nie przewidywała otwierania ust.

– A ma złą dykcję?

– Już nie pamiętam – odrzekł wymijająco.

I tyle się dowiedziałam o żonie Zygmunta. Nie należało brać uwag Jałowieckiego dosłownie, znany był z ciętego języka i z krzywdzących opinii, jeśli ktoś mu nie przypadł do gustu. Widocznie Elżbieta Górniak nie należała do jego sympatii.

A potem był nasz drugi objazd po Polsce z *Trzema siostrami*. I właśnie wtedy nasza miłość stała się faktem.

– Olu, czy ty jesteś pewna? – spytał Zygmunt, patrząc mi prosto w oczy.

– Od dawna. Od dwóch lat.

– Ale to może być trudne.

– Możemy się kochać w ukryciu.

Pokręcił na to przecząco głową.

– Nie. Odejdę z domu. Ty możesz być tylko moją żoną.

Przecież ty już masz żonę – pomyślałam.

Nie było mi trudno zapomnieć o różnicy wieku. Zygmunt wydawał się czasami młodszy od moich rówieśników, od Darka na przykład, który miał raczej ponure usposobienie. Zygmunta nienawidził, bo może jeszcze wcześniej niż ja odkrył moje uczucie do tego „karła", jak go nazywał. W końcu go poprosiłam, żeby się wyprowadził. Stało się to na długo przed tym, zanim Zygmunt zajął jego miejsce. Któregoś deszczowego dnia pojawił się w moim ciasnym mieszkanku z jedną walizką.

– Myślisz, że się tu pomieścimy? – spytałam.

– A mamy inne wyjście?

Nic nie wiedziałam o jego życiu prywatnym, poza tym, że jest żonaty i ma dwoje dzieci. Gdzie mieszka? Czy ma na przykład psa? Co porzucał dla mnie, co musiał pozostawić, bo nie zmieściło się w walizce? Potem, kiedy zawrzało od plotek na nasz temat, doszło do mnie, że pozostawił żonie piętrowy bliźniak na Sadybie, zabrał tylko samochód. Już nie pierwszej młodości volkswagena. Samochód stał teraz przed blokiem, w którym wynajmowałam kawalerkę, i każdego ranka spoglądałam z okna, żeby sprawdzić, czy jeszcze tam jest. Był, pewnie dlatego że prezentował się nie najlepiej, zachlapany od góry do dołu błotem. Zygmunt nigdy nie miał czasu go umyć.

Więc to takie proste – myślałam. Ale to nie było wcale proste, już niebawem miałam się o tym przekonać.

Nasza pierwsza scena miłosna rozegrała się w busie, nocą, na trasie pomiędzy Warszawą a Wrocławiem. W busie, też volkswagenie, i też nie najmłodszym, wysiadło ogrzewanie. Szczękałam zębami, mimo że miałam na sobie kurtkę. Zygmunt rozpiął swoją i powiedział:

– Chodź!

Leżałam z głową na jego piersi, szorstki sweter trochę mi drażnił policzek, ale co to miało za znaczenie wobec faktu, że gdzieś blisko biło jego serce. Panował półmrok, inni koledzy też tak drzemali wtuleni w siebie, bo to był najlepszy sposób, żeby się ogrzać. Traktowano to jako rzecz naturalną. W teatrze wszystko dzieje się w sferze uczuć i inaczej odbierana jest fizyczność partnerów. Przecież stale się gra pocałunek, dotyk. Wciąż jest się blisko drugiego ciała i znaczy to coś zupełnie innego niż w normalnym życiu. W normalnym życiu przytulenie się do drugiego człowieka pociąga za sobą konsekwencje, trzeba się z tego tłumaczyć. Tutaj odbywało się bezkarnie. Do czasu, jak się miało okazać.

W którymś momencie na wpół świadomie uniosłam rękę i poszukałam jego ust. Dotknęłam palcami spierzchniętych warg, często je oblizywał na wietrze. Jego serce jakby się zachwiało, tak to odczułam przez gruby sweter, przez chwilę biło inaczej. Potem cofnęłam rękę. Tylko tyle, nic więcej, ale wiedziałam, że zrozumiał, co mu chciałam przekazać.

Po przyjeździe do Wrocławia piliśmy z resztą zespołu gorącą herbatę w teatralnym bufecie; niemal nie mogłam utrzymać szklanki zgrabiałymi palcami. Zygmunt już był w ruchu, rozmawiał z obsługą techniczną. Potem daliśmy przedstawienie, które przyjęto z aplauzem, ludzie bili brawo na stojąco. I wreszcie hotel. To ja przyszłam do jego pokoju. Stało się to niemal po sześciu latach naszej znajomości, licząc od dnia, kiedy się po raz pierwszy zobaczyliśmy, a właściwie kiedy stanęliśmy oko w oko, bo ja go widywałam wcześniej na scenie. Był wtedy w komisji egzaminacyjnej. Podobno mnie zapamiętał.

– Nie przyszło ci do głowy, że jak na amantkę mam za długi nos? – spytałam. – Ja się nawet tak ustawiałam do komisji, aby wydawał się mniejszy...

– Zapamiętałem cię, bo moim zdaniem jesteś podobna do Hanny Szyguli.

– Przecież ona jest brzydka.

– Nic podobnego. Jest bardzo interesująca.

– Tak się zwykle mówi, gdy nie można pochwalić urody – odrzekłam z lekkim żalem.

– Nic takiego jak uroda nie istnieje – usłyszałam.

– Są tylko twarze natchnione albo twarze ślepe.

A ona jaką ma twarz? Tę pierwszą czy tę drugą... Ona miała się już niebawem pojawić. Kiedy rok po roku odbierałam jej Zygmunta, nieuchronnie się do niego przybliżając, nie stawiała przeszkód. Po prostu nie wiedziała o moim istnieniu. Teraz się to zmieniło. Teraz istniałam przy nim fizycznie, jako drugie ciało, jego kochanka, a to znacznie trudniej dawało się ukryć. Zresztą on wcale nie chciał tego ukrywać.

– Ale jak to, odejdziesz z domu... Co twoja żona na to powie? – spytałam bezradnie.

– Dla mnie ważniejsze jest teraz, co ty na to powiesz – odrzekł i bardzo mi się jego odpowiedź nie podobała.

Wciąż jeszcze nie mogłam oswoić się z myślą, że on też mnie kocha i chce być ze mną. Nie zdawałam sobie również sprawy, jak wielką wzbudzi to sensację nawet w naszym światku, w którym ciągle ktoś kogoś porzucał i znajdował innego partnera. Różnica wieku także nie powinna nikogo szokować, było już kilka takich par, całkiem zresztą udanych. No tak, ale tym razem chodziło o Zygmunta. Owszem, zdradzał żonę, dla nikogo nie było to tajemnicą, jednak mimo wszystko przeżył z nią ponad trzydzieści lat, bo kiedy się pobrali, byli parą osiemnastolatków, studentami Szkoły Teatralnej. Wszystko odbywało się w tych samych dekoracjach... Mnie też poznał przecież w Szkole. Gdyby nie to, że dałam mu znak, a potem do niego przyszłam, nic by z tego nie wyniknęło. Ale on tak chętnie na mnie przystał. Nie rozumiałam tylko, dlaczego teraz chce zostawić żonę. Dla mnie? Przecież wcale tego nie wymagałam. Wystarczało mi, że był blisko. I że mnie kochał. Seks nas upoił. Śpieszyliśmy się do siebie, tęskniliśmy, chcieliśmy być ze sobą. Na wyciągnięcie ręki.

– Boże, jaka ty jesteś cudowna, jaką masz skórę... Olu, twój brzuch mógłby być kolebką dla poetów...

– Ale twarz Szyguli! – odcięłam się.

– Lubię twoją twarz.

Czy ja czegoś nie ukrywam? Czy do czegoś nie chcę się sama przed sobą przyznać? Jestem tutaj... przez przypadek... Jednak go wykorzystałam, posłużyłam się nim, by coś wygrać... W *Chorym z urojenia* Argan pyta: *A czy to nie jest niebezpiecznie udawać umarłego?* Ale ja przecież nie udaję umarłej, ja jedynie nie otwieram oczu...

Chyba nie tylko ja byłam zaskoczona postanowieniem Zygmunta, abyśmy wzięli ślub. Przedtem musiał być jednak rozwód. I w miarę szybko to przebiegło za obopólną zgodą stron. Także podział majątku odbył się bez wstrząsów. To złe zaczęło się dopiero potem. Żona Zygmunta nagle zmieniła zdanie i chciała wycofać swoją zgodę, ale wyrok był prawomocny. Nie przyjmowała tego do wiadomości. Pisała odwołania, tłumacząc, że początkowo zgodziła się na rozwód, bo ambicja nie pozwalała jej walczyć o to, by zatrzymać przy sobie mężczyznę, który chciał odejść. Ale to się wszystko potoczyło zbyt szybko... Teraz żałuje, że była taka wspaniałomyślna. Jej małżeństwo trwało trzydzieści pięć lat, nie można go jednym pociągnięciem przekreślić.

– Zygmunt – powiedziałam. – Skoro jej na tym zależy, wróć do domu. Między nami to nic nie zmieni.

Popatrzył tylko na mnie.

– Znasz starą maksymę: „Nie wchodzi się dwa razy do tej samej rzeki"?

Dla niego wszystko było takie proste. Akt pierwszy się skończył, zaczął się akt drugi: życie ze mną. Kłopot polegał na tym, że dla mnie był to akt pierwszy. Dano mi rolę, o jakiej nie marzyłam; praca tak mnie absorbowała, że nie miałam czasu na układanie planów osobistych. Wiedziałam, że chcę spotykać się z Zygmuntem, pragnęłam go jako mężczyzny, ale nie miało to wiele wspólnego z małżeństwem. Już samo słowo „żona" sprawiało, że czułam się nieswojo. Dałam się Zygmuntowi namówić na ślub, ale za nic nie chciałam nosić obrączki. On nosił, a ja swoją schowałam do szuflady. Cały czas pamiętałam, że jego żona chciała, aby wrócił do domu. Więc to wcale nie wyglądało tak, jak mi przedstawił, że rozstali się w przyjaźni i będą się przyjaźnili nadal. Tylko on tak to widział, bo chciał tak to widzieć. Postanowiłam wyjaśnić tę sprawę. Co oczywiście nie było rzeczą prostą i zakrawało niemal na szaleństwo. Bo jak to zrobić? Miałam pójść do byłej żony obecnego męża i spytać: „Co pani teraz czuje?" Ja nawet nie wiedziałam, jak ona wygląda. Wiedziałam tylko, że jest nieszczęśliwa. I że ja się do tego przyczyniłam.

Któregoś dnia, kiedy nie miałam porannej próby, pojechałam do czytelni Filmoteki Narodowej i poprosiłam o teczkę z wywiadami Elżbiety Górniak, a także recenzjami na jej temat.

– I Zygmunta Kmity – dodałam.

– Czytać może pani na miejscu, i to jest odpłatne – powiedział starszy mężczyzna w okularach. –Trzydzieści groszy od koperty...

Trzydzieści srebrników – pomyślałam.

Widziałam, że mnie nie rozpoznaje, i dlatego odważyłam się poprosić o teczkę Zygmunta. Po dłuższym oczekiwaniu otrzymałam obie teczki. Jedna była bardzo chuda, druga pękata. Zaczęłam od tej chudej. Na kopertach zaznaczone były lata, z których gromadzono wycinki. Pierwsza koperta w teczce Elżbiety Górniak nosiła datę: 1972. To był niemal rok moich urodzin... Ręka mi drżała, kiedy wyjmowałam wycinki. Pierwszy z nich pochodził z kolorowego pisma, papier był złej jakości i reprodukowane zdjęcia wyglądały jak namalowane dziecięcymi farbami. Bardzo niebieskie niebo, bardzo różowe ciało modelki. Zdziwiłam się, skąd się te zdjęcia tu wzięły. Modelka miała na sobie kostium kąpielowy. Obfotografowano ją w różnych pozach. Rubryka nosiła nazwę: „Poznajmy się". Tą modelką była... młoda aktorka Elżbieta Górniak. I niczego nie reklamowała, tekst był o niej. A kostium? Widocznie pomysł fotografa. Przyglądałam się jej z dziwnym uczuciem. Zupełnie jakbym ją podglądała. Nie podobało mi się, że zgodziła się na takie zdjęcia. Tym bardziej że nie mówiła, gdzie spędza wakacje, ale o swoich planach zawodowych. A także o swoim mężu, małej córeczce...

Więc byłam młodsza od ich córki... *Myśli pani, że zdoła pogodzić swoją pracę z obowiązkami domowymi? Z obowiązkami matki przede wszystkim?* – spytała dziennikarka. *Chciałabym* – odpowiedziała. – *Kocham teatr, najbardziej przypadła mi do gustu rola w „Wiśniowym sadzie", to była mała rola, grałam Duniaszę, pokojówkę. Chciałabym jeszcze coś zagrać, coś większego z klasyki rosyjskiej...* W tych kilku kopertach – były bowiem kilkuletnie przerwy, kie-

43

dy w prasie nie pojawiła się żadna wzmianka o niej – zawarte było całe życie kobiety, której nie znałam, a na której los wywarłam fatalny wpływ. Bo gdyby nie ja, jej mąż by wracał do domu, a tego właśnie pragnęła. Żeby wracał. I żeby mogła sobie powiedzieć, że poświęciła karierę dla rodziny, ale to był jej świadomy wybór. *Jestem naprawdę szczęśliwa, że moje życie jest właśnie takie. Zrezygnowałam ze sceny, bo chciałam mieć dom. Męża, dzieci.* Kiedy to mówiła, miała ich już dwoje. Na przestrzeni lat udzieliła jeszcze kilku wywiadów. I wciąż powracał ten sam motyw: mąż i dzieci dają mi poczucie bezpieczeństwa. Ostatni raz wspomniała o tym przy okazji jakiegoś serialu, w którym grała u boku Zygmunta. Najświeższy wycinek na jej temat znów mnie zadziwił, nie był to zresztą wywiad. Ponownie występowała w roli modelki. Tym razem jej zdjęcia ukazały się w luksusowym magazynie dla kobiet. Elżbieta Górniak w makijażu, w najmodniejszych, wyszukanych strojach. W słońcu, w deszczu, pod parasolem. Jej twarz zrobiona na maskę. Dziwna fryzura, tony tuszu na powiekach. I podpis: *Robię to, na co mam ochotę! Zmieniam swoje życie, daję mu kuksańca!* Był to numer z zeszłego roku. Chciała się pokazać, udowodnić światu, że mimo odejścia męża nie jest jeszcze do niczego. Daje swojemu życiu kuksańca... Z uczuciem bólu wkładałam koperty do teczki. Nie miałam ochoty wracać teraz do Zygmunta. Jego zawodowe życie leżało przede mną w drugiej teczce. Rozwiązałam sznurek i wyjęłam ostatnią kopertę. Wywiad, którego nie czytałam, z czasów, kiedy jeszcze nie byliśmy razem. Dziennikarz zadaje pytanie: *Dla mojego pokolenia był pan idolem. Wydawało się, że zajdzie pan wysoko. Czy czuje się pan odpowiedzialny za to, że tak się nie stało?* Zygmunt: *Co to znaczy wysoko? Zagrałem w ponad stu filmach. Może to jest właśnie wysoko, w sensie liczb.* Dziennikarz: *Mnie chodziło o jakość.* Zygmunt: *Nie moja wina, że większość z tych filmów się nie udała. A ponieważ w nich uczestniczyłem, przyklejono mi etykietkę aktora konfekcyjnego.* Dziennikarz: *Będzie pan jeszcze walczył o pierwsze miejsce?* Zygmunt: *Raczej nie.* Dziennikarz: *Więc jakie plany?* Zygmunt: *Wie pan, chcę się zakochać. Tak jak to jest możliwe tylko w młodości...*

Kiedy wyszłam na zewnątrz, zachmurzyło się i zaczął kropić deszcz. Nie wzięłam parasolki, po chwili miałam mokre włosy. *Chcę się zakochać, tak jak jest to możliwe tylko w młodości.* Więc ja miałam być jego nową zabawką, starą odstawił na półkę.

Dziwne uczucie, kiedy się żyje bez kalendarza. Wydawało mi się, że kontroluję sytuację, że wiem, kiedy jest noc, kiedy dzień. I jak długo już tu jestem. A jednak się pogubiłam... Chyba chciałabym już wrócić, ale trochę się boję, zwykłe uniesienie powiek to dla mnie jedna z trudniejszych życiowych decyzji, podobnie jak tamta decyzja pójścia do niej...

Adres wzięłam z dowodu osobistego Zygmunta. Pojechałam taksówką, ale taksówkarzowi kazałam się zatrzymać o kilka domów dalej. Ogrodzenie z siatki, niewielki, starannie utrzymany ogródek, schodki, drzwi. Bliźniaczo podobne do innych schodków i drzwi, bo domki stoją w rzędzie, połączone ze sobą. Naciskam dzwonek przy furtce, czując, jak szaleńczo wali mi serce.

– Słucham.
– Ja do pani Elżbiety Górniak.
– W jakiej sprawie?
– Nazywam się Aleksandra Polkówna.
– Wiem, jak się pani nazywa. Nie wiem tylko, czego pani chce.
– Nie mogę o tym mówić przez domofon.

Cisza, a potem brzęczek. Jaka to długa podróż od furtki do drzwi. Widzę kobietę w przybrudzonym szlafroku, z dawno niemytymi włosami, przy skórze widoczne ciemniejsze odrosty. I twarz. Nie przypomina twarzy tamtej młodej dziewczyny w kostiumie kąpielowym ani też twarzy z magazynu dla eleganckich pań. Jest to twarz aktorki tragicznej...

– O to chodziło? – pyta ostro.

Czuję od niej alkohol. Milczę, bo nagle nie wiem, co powiedzieć. Jak jej wytłumaczyć, dlaczego tutaj przyszłam, skoro dla mnie samej nie jest to do końca jasne.

– Pani ma ciekawszą rolę – słyszę siebie i ogarnia mnie przerażenie, że coś takiego powiedziałam.

A ona rzuca się do przodu i z całej siły uderza mnie w twarz.

Cofając się gwałtownie, opieram się plecami o regał, z którego coś mi spada na głowę. Czuję ciepłą strużkę wypływającą spod włosów. Kolana mi miękną, siadam na ziemi. Żona Zygmunta pochyla się nade mną, pomaga mi wstać.

– Wazon spadł – mówi już innym głosem, bez nienawiści.

Prowadzi mnie do łazienki, pomaga zmyć krew. Potem szuka w apteczce plastra, ręce jej się trzęsą.

– Ja... Ja nie panią uderzyłam... Ja uderzyłam pani młodość...

Teraz nie jestem ani młoda, ani stara... Teraz jestem wypreparowana z cielesności... Ja to nie jest moja głowa, moje ręce, moje nogi, mój brzuch, ja to są moje myśli...

Rana na głowie krwawiła. Odczuwałam mdłości. Ona zdecydowała, że trzeba jechać na ostry dyżur. Ubrała się, włożyła ciemne okulary i poszła wyprowadzić z garażu samochód. Kiedy usiadłam obok niej na przednim siedzeniu, miałam poczucie nierealności tego, co się dzieje. Ciemne okulary. Dlaczego je włożyła? Nikt już nie pamiętał jej twarzy...

W szpitalu wygolono mi włosy wokół rany i założono szwy. Rentgen nie wykazał niczego niepokojącego, ale chirurg, który się mną zajmował, wyszedł za nami na korytarz i powiedział do niej:

– Córka powinna kilka dni poleżeć.

Nic nie odpowiedziała, nie widziałam wyrazu jej oczu ukrytych za ciemnymi szkłami.

– Dziękuję za pomoc – odezwałam się, gdy lekarz odszedł. – Teraz zamówię taksówkę.

Przecież nie mogła mnie odwieźć do domu, obie to dobrze wiedziałyśmy.

Ten nieszczęsny wypadek skomplikował nie tylko moje plany, ale także plany teatru, bo w takim stanie nie mogłam brać udziału w próbach. Twarz miałam obrzmiałą, a pod oczyma pojawiły się ciemnofioletowe sińce. Zygmunt tak się przeraził, gdy mnie wieczorem zobaczył, że chciał mnie z powrotem zawieźć do szpitala. Odmówiłam. Wtedy zaczął wydzwaniać po klinikach. Uspokoił się dopiero, gdy mu powiedziano, że takie zasinienia to nic niepokojącego.

– Jak to się stało? – wypytywał.

– Wazon mi spadł na głowę – odrzekłam zgodnie z prawdą.

– A gdzie ty byłaś?

– U znajomej.

– U jakiej znajomej?

U twojej znajomej – pomyślałam, ale nie powtórzyłam tego głośno.

Wróciłam do pracy po tygodniu. Teraz ja przychodziłam na próby w ciemnych okularach. Wygolone miejsce zakrywałam apaszką. Przygotowywano mi treskę, bo nie było mowy, aby włosy odrosły do premiery. Często myślałam o żonie Zygmunta, a właściwie myślałam o niej nieustannie. Kiedy któregoś dnia zostałam w garderobie sama z Jałowieckim, spytałam go:

– Panie Adamie, jaką aktorką była Elżbieta Górniak?

Tym razem już wiedział, dlaczego mnie ona interesuje, na jego twarzy pojawił się uśmieszek.

– Miała swoją rolę w *Tangu* Mrożka, grała Alę. Sam wtedy napisałem, że Kmita jest mężem swojej żony. Przebił ją ilością.

– Ja nie pytałam o niego – stwierdziłam ostro.

– Nie? A to przepraszam.

Jak ja go w tym momencie nie lubiłam. Nie lubiłam go nigdy, mimo iż był dla mnie taki łaskawy.

A gdyby tu do mnie przyszedł? Przecież pojawiają się wszyscy ci, którzy odegrali w moim życiu jakąś rolę, matka, mąż i jednocześnie mój pierwszy reżyser. A jak jest reżyser, powinien być także krytyk...

Nie było mowy o tym, abym mogła pojechać do niej przed premierą. A po premierze okazało się to równie trudne. Wracałam do domu późnym wieczorem nieludzko zmęczona, Zygmunt często musiał zdejmować mi buty. Wypadek z wazonem wyraźnie mnie osłabił. A może zatraciłam gdzieś mój entuzjazm.

– Ty jesteś życiową entuzjastką – powtarzał Darek. – Życzę ci, aby ci to nie przeszło.

Ale właśnie mi przechodziło. Nie wiem dlaczego, może to przechodzi z wiekiem, a może moje doświadczenia czegoś mnie nauczyły. Nie, nie, to wcale nie oznaczało, że odwracałam się od teatru, teatr był wciąż najważniejszy, a nawet zaczął zajmować coraz więcej miejsca w mojej świadomości. Kurczyło się natomiast moje życie osobiste. Źle się czułam w swoim małżeństwie, bo to była rola, której nie potrafiłam sprostać. Zygmunt oczywiście nie robił mi żadnych wymówek, kiedy zapominałam kupić cukier albo nie odebrałam jego koszul z pralni, ale mimo to czułam się winna. Zawsze pamiętałam, że przedtem miał prawdziwą żonę i prawdziwy dom. Trudno tak było nazwać naszą kawalerkę. W popłoch wprawiła mnie wiadomość, że on ma zamiar budować dom dla nas.

– Dom? – spojrzałam na niego szeroko otwartymi oczami. – Dom?

– Dom. Właśnie dom. Nasz prawdziwy wspólny dom.

– Czy ty masz na to siłę? – powiedziałam cicho. Patrzyliśmy sobie w oczy.

– Liczę, że mi pomożesz.

– Ja... Ja się czuję zmęczona.

Zygmunt się roześmiał.

– Jesteś za młoda na takie oświadczenia. To ja mógłbym tak powiedzieć. Ale ty w żadnym wypadku.

No jasne, ja nie – pomyślałam – ale ona miałaby do tego pełne prawo. Tylko że ciebie to nic a nic nie obchodzi. Nie obchodzi cię, co się dzieje z kobietą, z którą przeżyłeś przeszło trzydzieści lat. Ile to dni i nocy. Tysiące, tysiące. I okazuje się, że nie mają żadnego znaczenia. Można sobie powiedzieć, że zaczyna się wszystko od nowa – z kimś innym. A jeżeli druga strona nie ma już na to ochoty? Co wtedy? Ona ma pięćdziesiąt cztery lata, więc jeszcze szmat życia przed sobą. I co ma z tym życiem dalej zrobić? Dzieci już są dorosłe, mąż odszedł.

– Dlaczego tak na mnie patrzysz? – spytał, marszcząc brwi.

Ten pomysł pojawił się niemal równocześnie z propozycją, którą otrzymałam. Mój teatr miał zamiar wystawić *Zmowę świętoszków* Bułhakowa i Brzeski, reżyser, chciał mi dać rolę Armandy. Myślał też o Zygmuncie w roli Moliera.

– Ludzie lubią oglądać małżeństwa na scenie – powiedział.

Wiedziałam, o co chodzi. Czasy nie były dla teatru sprzyjające i należało wybierać taki repertuar i takich aktorów, którzy przyciągnęliby widza. Stąd propozycja dla mnie i dla Zygmunta, ostatnio dużo się o nas mówiło. Ogólna ciekawość tym bardziej nie była zaspokojona, że odmawialiśmy udzielania wywiadów. A jeżeli już, to ani słowa o życiu prywatnym. Pomysł był szalony, ale postanowiłam go zrealizować za wszelką cenę.

– Czy znalazł już pan kogoś do roli Magdaleny? – spytałam Brzeskiego.

– Zastanawiam się.

– To ja mam dla pana aktorkę.

– Tak?

Obaj z Zygmuntem patrzyli na mnie z zaciekawieniem.

– Przyjdę do pana do gabinetu – powiedziałam. Zjawiłam się tam pół godziny później.

– No, cóż to za propozycja, Olu?

Spoglądał na mnie życzliwie. Czułam, że mnie lubi. Nie miał zresztą powodów, by mnie nie lubić. Nie sprawiałam mu żadnych problemów. Nie walczyłam o role, nie grymasiłam, kiedy miałam zagrać epizod, byłam na ogół punktualna. Trochę tę naszą sielankę zakłócił mój wypadek z wazonem. Ale potem wszystko wróciło do normy.

– Muszę najpierw pana przygotować, żeby nie dostał pan zawału.

– To aż tak!

– Aż tak, ale naprawdę warto. Myślę o Elżbiecie Górniak.

Teraz, gdy jestem zawieszona pomiędzy życiem a... śmiercią... czy ja walczę o życie? Jak ze mną jest naprawdę? Jak bardzo groźny był ten wypadek... Teraz mój pomysł wydaje się jeszcze większym szaleństwem. Jak mi się udało doprowadzić go do końca, przekonać wszystkich zainteresowanych? Przecież skompletowanie takiej obsady zakrawało na absurd...

Zwlekałam z wizytą u niej chyba wcale nie dlatego, że byłam taka zajęta, po prostu nie miałam pomysłu na to spotkanie. Bo co jej miałam powiedzieć? Moja rana się zagoiła, a co zrobimy z twoją... Teraz już wiedziałam, jak mogę jej pomóc. Powinna wrócić na scenę. I ten powrót musiał być głośny, musiał skierować na nią oczy wszystkich. Ja i Zygmunt ze względu na nasz związek jej to gwarantowaliśmy. To miało być tą domieszką sensacji. Wszystko inne zależało od niej. Wierzyłam, że zagra Magdalenę wspaniale. Wierzyłam też, że ta rola właśnie będzie dla niej owym „życiowym kuksańcem", a nie jakiś żałosny pomysł występowania w roli modelki, i to pod hasłem: „Kobieta dojrzała też może być atrakcyjna!"

Teraz tylko należało uzyskać jej zgodę. Zastanawiałam się, od kogo zacząć, od niej czy od Zygmunta. Brzeski dał się przekonać nadspodziewanie łatwo.

– Była kiedyś niezłą aktorką – powiedział. – Grała u mnie w Mrożku... Nawet byłoby ciekawie się z nią spotkać. Chociaż takiej Czyżewskiej powrót się nie udał.

– Czyżewską zniszczył alkohol. A Górniak jest po prostu niewygrana. Gdzieś siedzą w niej te role, muszą siedzieć...

Co ja tu gadam, przecież tego nie wiem, nie mogę wiedzieć – pomyślałam. Ale on przyznał mi rację.

– Próbuj – usłyszałam.

Więc pierwszy próg został pokonany. Teraz ona... Chyba ona... A jeżeli Zygmunt się nie zgodzi, a ja jej zrobię jakieś nadzieje? Jeżeli on się nie zgodzi, trudno, może zastąpić go inny aktor. Dwie żony, stara i młoda, to taka sama atrakcja, prawie taka sama, jak dwie żony i wspólny mąż. Jej zgoda była ważniejsza. Ją powinnam najpierw przekonać. Więc wzięłam taksówkę i wyruszyłam w stronę przygody, która miała nieprzewidywalne zakończenie. Zadzwoniłam do furtki. Nikt się nie odezwał, mimo to wiedziałam, że Elżbieta jest w domu, bo jej samochód stał pod garażem. Chyba że wyszła gdzieś niedaleko.

Postanowiłam zaczekać. Minęła godzina. Druga. Zmarzłam i zamierzałam już odejść, kiedy odezwał się brzęczek przy furtce. Tym razem wyglądała dużo lepiej, jej twarz zmieniła się nie do poznania. Być może sprawił to makijaż. Zauważyłam, że był bardzo staranny. Czy dlatego musiałam tak długo czekać, że chciała się przygotować na nasze spotkanie? Mogła też nie wytrzymać psychicznie mojego sterczenia przy furtce.

Jałowiecki powiedział, że miał zawsze kłopoty z określeniem urody Elżbiety, właściwie była ładna, ale miała w twarzy coś chorobliwego. Patrzyłam teraz na jej twarz, której czas chyba nie zeszpecił, jedynie ją przeformował. To były dwie różne kobiety, ta, teraz pięćdziesięcioparoletnia, i tamta młodziutka.

– Jak się pani czuje? – spytała uprzejmie, lecz chłodno. Chciała mi tym dać do zrozumienia, że nie może mnie traktować tak jak podczas pierwszej wizyty. Wtedy sytuacja narzuciła nam takie, a nie inne zachowanie. Musiałyśmy sobie poradzić z tym, co mi się przydarzyło, a ponieważ ona sama to poniekąd spowodowała, więc chcąc nie chcąc, musiała ponieść konsekwencje i zabrać mnie do szpitala. Nie mogła postąpić inaczej.

– Ja... mam dla pani propozycję, właściwie nie ja... ale Brzeski... Rola Magdaleny w *Zmowie świętoszków*...

Patrzyła na mnie, jakby nie rozumiejąc, co mówię.

– Rola Magdaleny – powtórzyłam.

– Pani oszalała, proszę wyjść! – krzyknęła. Miała taki wyraz twarzy, że przestraszyłam się, iż znowu mnie uderzy.

Odruchowo schowałam głowę w ramionach. Sprawiło jej to widoczną przykrość.

– Napije się pani herbaty? – spytała już zupełnie innym tonem.

– Chętnie – odparłam skwapliwie.

Kiedy wyszła do kuchni, rozejrzałam się po pokoju. Kredens, stół, kanapa, w rogu telewizor. Wnętrze jak w tylu innych mieszkaniach, bezosobowe. Na ścianie reprodukcja obrazu Picassa *Dziewczynka z gołąbkiem*. Reprodukcja, więc coś martwego. Nigdy bym tego nie powiesiła w swoim domu... gdybym go miała. Postanowiłam nie mieć domu, ale Zygmunt chciał mnie uszczęśliwić na siłę.

Wróciła z tacą, na której stały dwie filiżanki i cukierniczka. Jedną z filiżanek postawiła przede mną.

– Ja bym już nie umiała wejść na scenę – powiedziała głosem pełnym rezygnacji.

– Tego się nie zapomina.

– A skąd pani może to wiedzieć?

Słuszne pytanie. Byłam młodą aktorką, u progu kariery, podczas gdy ona zaliczyła ileś tam teatralnych sezonów, zanim odeszła na dobre. Nie mogłam wiedzieć, jaką cenę płaci się za taką rezygnację. Ja bym nie potrafiła odejść z teatru, bo teatr był najważniejszy. Ona wybrała co innego, wybrała życie osobiste, które nieświadomie zniszczyłam. Przedtem była jedynie czyjąś żoną, kimś bez twarzy. Teraz stała się Żoną, a Zygmunt Mężem. I ja stanęłam pomiędzy nimi. Gdybym wiedziała, że ona nie chce mu dać rozwodu, nigdy bym mu nie pozwoliła odejść z domu. Ale on to zrobił. Dla mnie. Więc wydawało mi się, że jestem jej coś winna. Choćby rolę Magdaleny...

– Pani Elżbieto – zaczęłam, może nawet trochę za głośno, bo spojrzała na mnie spłoszona. – Przecież sama pani kiedyś powiedziała, że lubi grać rosyjską klasykę...

– Skąd pani wie?

Zmieszałam się, szukając odpowiedzi. Nie mogłam się przyznać, że zachowałam się jak detektyw amator i poszłam do czytelni Filmoteki Narodowej, aby tam, odgrzebując przeszłość, stać się w pewien sposób świadkiem jej zawodowej, a także życiowej klęski, bo przecież mit rodziny, jaki sobie stworzyła, runął wraz z odejściem Zygmunta.

– Ten krytyk... Jałowiecki... mi kiedyś wspomniał...

– A skąd on może wiedzieć, co ja lubiłam, a czego nie. Nigdy mnie nie zaszczycił swoimi względami.

– Przecież pisał o pani roli w *Tangu*...

Przyjrzała mi się uważnie, w jej oczach pojawiła się nieufność.

– O tym też pani wspomniał tak ni z tego, ni z owego? O co chodzi? Czego pani ode mnie chce? Może sprawia pani przyjemność oglądanie kogoś, kto przegrał.

– Jeszcze nie wiadomo, kto przegrał – powiedziałam cicho, spuszczając głowę.

– Jako kobieta już nie wygram – odrzekła smutno.

– Ale jako aktorka może pani. A to pociąga za sobą inne wygrane, także w seksie. Seks lubi tych, którzy wygrywają.

Żona Zygmunta dostała wypieków, chyba obie ich dostałyśmy.

– Bezczelna z pani osóbka! Jak pani śmie wygadywać takie rzeczy. Przychodzić tu i pleść bzdury!

– To wcale nie są bzdury. Ja czuję, ja wiem, że pani życie może się zmienić.

– Już się zmieniło.

– Zmieni się jeszcze raz.

– Jeśli zagram Magdalenę?

– Tak.

– I pani mi to gwarantuje?

– Tak.

Roześmiała się ostrym, nieprzyjemnym śmiechem.

– My tu już odgrywamy farsę.

Przełknęłam ślinę, jakbym przygotowywała się do dłuższego przemówienia, a powiedziałam tylko:

– Zostawiam pani tekst, niech się pani zastanowi i skontaktuje z reżyserem... On czeka na pani telefon...

Na jej twarzy pojawił się popłoch.

– A reszta obsady? – spytała.

– Ja będę grała Armandę... A Molier... nie jest obsadzony...

Nie mogłam jej powiedzieć całej prawdy. Jeszcze nie przyjęła tej części, którą jej wyjawiłam.

– Pani i ja... Matka i córka... Już ten lekarz z ostrego dyżuru tak nas ochrzcił – powiedziała wolno. – Albo inaczej, dwie siostry i dwie żony Moliera...

– Magdalena nie była jego żoną – sprostowałam.

– Ale była jego kochanką i być może matką jego córki, którą poślubił. To kazirodztwo... Gdybym się zgodziła zagrać z panią, to też trąciłoby kazirodztwem...

Wstałam i zaczęłam iść w stronę drzwi wyjściowych.

– Obie jesteśmy aktorkami i liczy się tylko to, co z tego może wyniknąć. Liczy się to, co na scenie.

– Dla pani.

– I pani też tak powinna zacząć myśleć. Do zobaczenia! – Odwróciłam się i wybiegłam z jej domu.

Wieczorem, kiedy wrócił Zygmunt, czułam się skrępowana. Inaczej niż po pierwszej wizycie u Elżbiety, może dlatego że wtedy zapłaciłam kontuzją. Tym razem nie dość że chciałam zrobić coś, co mu się z pewnością nie spodoba – sprowadzić na scenę jego żonę, to jeszcze uważałam, że jeżeli nie chciałby z nią grać, powinien się wycofać. Przyglądałam mu się ukradkiem. Właściwie zupełnie nie nadawał się do tej roli, miał zbyt współczesną twarz. Mógłby zagrać jakiegoś biznesmena... Biznesmena już zagrał – pomyślałam – i też niezbyt mu to wyszło. Krytyka zjechała film. To była wina scenariusza. Pomysł, żeby pokazać człowieka, który z nizin wspina się na sam szczyt, robi duże pieniądze, a potem traci wszystko na giełdzie i plącze się jako bezdomny po dworcu podmiejskiej kolejki, nie mógł się udać, nie tutaj. Takie amerykańskie kino przełożone na Polskę dobrze wyszło tylko jednemu reżyserowi. Ale on by Zygmunta nie zaangażował, bo Zygmunt kojarzy się wszystkim z rolami kombatantów. *Był pan idolem mojego pokolenia* – powiedział dziennikarz przeprowadzający z nim wywiad. A oznacało to tyle, co: był pan, ale już pan nim nie jest. Wszystko się zmieniło, kino już pana nie potrzebuje. Pozostawał teatr. Ale obawiam się, że teatr potrzebował Zygmunta jeszcze mniej. Prawda była taka, że dostał rolę Moliera tylko dlatego, że ja miałam zagrać Armandę. Więc nie może dyktować warunków. Musi się zgodzić na udział Elżbiety w przedstawieniu...

– Brzeski szuka aktorki do roli Magdaleny – powiedziałam, stojąc odwrócona plecami. Zmywałam naczynia, on wycierał.

– Przecież miałaś kogoś dla niego.

Powiedzieć mu czy nie? – przemknęło mi przez głowę. Będzie miał czas, żeby się do tego przygotować. A jeżeli zaprotestuje, przekona Brzeskiego, że to nie jest dobry pomysł, albo skontaktuje się z Elżbietą. I wszystko wyjdzie na jaw? Ona pomyśli, że jestem intrygantką. No, jestem, ale w dobrej sprawie. Tak mi się przynajmniej wydaje.

– Ale ta osoba chyba się nie zgodzi – powiedziałam wreszcie.

– Jaka osoba?

– Moja koleżanka, która prosiła, aby na razie nie wymieniać jej nazwiska.

Zygmunt wziął mnie za ramiona i obrócił twarzą ku sobie.

– To jest rola dla starszej aktorki, a ty raczej nie masz takich koleżanek.

Wzruszyłam ramionami.

– Skąd wiesz?

– Znam cię dobrze. I wiem, że nie masz koleżanek, ani młodych, ani starszych.

– Jak tak wszystko wiesz, to po co mnie pytasz? – wypaliłam.

Dużo później, w tym nieszczęsnym wywiadzie, przeczytałam rzekomo swoje słowa: *Jako wykładowca Zygmunt Kmita daje z siebie wszystko, w domu więc stara się nie mówić tonem mentora, co wcale nie znaczy, że nasze życie przypomina sielankę. Czasami skaczemy sobie do oczu, ale zawsze potrafimy osiągnąć jakiś kompromis.* Gdybym wtedy o tym wiedziała, w czasie rozmowy w naszej małej kuchence, może nie reagowałabym tak nerwowo. Bo skoro potrafimy osiągnąć kompromis, świetnie. Zgódźmy się, aby Elżbieta z nami zagrała.

Musiałam w końcu zadać sobie to pytanie: dlaczego postanowiłam być nielojalna wobec Zygmunta? Przecież był moim mężem. I kochałam go. Ale czy na pewno? Można powiedzieć, że nasze zaręczyny miały miejsce na werandzie domu Prozorowów i dopóki oboje tam byliśmy, czułam się szczęśliwa i zakochana, ale kiedy zeszliśmy z tej werandy, inaczej zaczęłam patrzeć i na niego, i na siebie... Gdybym go mogła podziwiać jako wielkiego aktora, może ta miłość znalazłaby jakąś pożywkę, ale ciągle pamiętałam to określenie: aktor konfekcyjny. Zygmunt był bardzo popularny, przez te wszystkie lata zdobył najwyższe laury w plebiscytach widzów. Złote Ekrany, Złote Kaczki; ale to właśnie mnie irytowało. Tym bardziej że w tym roku i ja dostałam Złotą Kaczkę jako najpopularniejsza aktorka, pewnie dzięki filmowi, w którym ostatnio zagrałam. Podobał się widzom. Nie zależało mi na tej nagrodzie, ale kiedy ją już dostałam, obróciło się to przeciwko mojemu mężowi. Widzisz – pomyślałam – ja też to mogę mieć, ale mówi się także o moim talencie... Nie, nie, to wcale tak nie wyglądało. Oczywiście wolałabym, aby inaczej go oceniano. Jakiś złośliwiec napisał, że po wystawieniu *Hamleta* w telewizji, z Kmitą w roli głównej, dzieci na podwórkach nie bawią się już w Robin Hooda czy Zorro, ale właśnie w Hamleta w płaszczu, ze szpadą... Coś w tym jest, wszystkie role Zygmunta były takie gładkie, za gładkie, zupełnie jak jego twarz, wiecznie młoda, bez zmarszczek. A ja bym chyba wolała zmarszczki...

Po kilku dniach spytałam Brzeskiego, czy zgłosiła się do niego Elżbieta Górniak.

   – Jeszcze nie. Jesteś pewna, że wyraziła zgodę?

   – Tak – odrzekłam bez mrugnięcia okiem. – Zastrzegła tylko, że chce się zapoznać z rolą.

– To niech się zapoznaje, byle szybko – odrzekł.

– Panie Andrzeju... na razie proszę nie mówić mojemu mężowi o obsadzie.

– Jasne, przecież to także jej mąż. – Spojrzał na mnie i poprawił się: – Były mąż, oczywiście.

Minęło jeszcze kilka dni i zaczęłam się niepokoić brakiem wiadomości od Elżbiety. Iść do niej? To by już wyglądało na nachalność, wtrącanie się w cudze życie. Ale czy ja już się w jej życie nie wtrąciłam? Po raz pierwszy nieświadomie. Po raz drugi z pełną świadomością. Z jakich pobudek... czy naprawdę chodziło tylko o nią? Może ja po prostu chcę jej zwrócić męża. Ale czy można komuś męża zwrócić... Wszystko się tak zagmatwało. Z narastającym niepokojem oczekiwałam tego, co się wydarzy. Byłam reżyserem widowiska, które miało się rozegrać nie tylko na scenie, sama brałam w nim udział, i to w jednej z głównych ról. A jeżeli wyrządzam w ten sposób komuś krzywdę, jej przede wszystkim, ale także Zygmuntowi i sobie... Nie wolno igrać z miłością, tym bardziej z miłością tak skomplikowaną. Tych miłości było przecież kilka, miłość Elżbiety do Zygmunta, miłość Zygmunta do Elżbiety, a potem do mnie, moja miłość do niego, bo nie mogę powiedzieć, że się skończyła. Wciąż ją czułam, we wszystkich jej odcieniach, pożądanie, czułość, radość, że wrócił do domu, że go widzę... Tę radość jednak ostatnio przyćmiło poczucie winy.

Świadomie go przecież oszukiwałam. Gdybym mogła się kogoś poradzić... gdyby ktoś mądrzejszy ode mnie znalazł rozwiązanie. Może Molier? Gdyby to on namotał taką intrygę, musiałby ją rozplątać, a u niego zwykle wszystko dobrze się kończy. Chciałam takiego zakończenia, godziłam się na różne warianty, byleby tylko żadna z osób dramatu nie cierpiała albo cierpiała mniej...

Taki dziwny dźwięk... skądś go znam, nie mogę jednak sobie przypomnieć... Na pewno go już słyszałam... Już wiem, tak skrzypi obrotowa scena w naszym teatrze, gdy się ją uruchamia... Ale nie jestem przecież w teatrze...

Jednak do niej dzwonię, niby z polecenia reżysera. Jej głos w słuchawce:

– Nie wiem, nie wiem, nie jestem pewna. To takie ryzyko...

– Czy mogę do pani przyjechać? – pytam.

Kiedy wita mnie przy drzwiach, widzę w jej twarzy napięcie.

Stoimy w tym samym przedpokoju, w którym w czasie mojej pierwszej wizyty doznałam kontuzji. Ale teraz nie jesteśmy już dla siebie obce. Ona jest Magdaleną, moją matką. A ja jej córką Armandą. Dziwi mnie, że tego nie pojmuje.

– Przecież to taka bogata rola – mówię. – Dlaczego pani się waha?

– Bo nie rozumiem, dlaczego do mnie przyszłaś... Patrzymy sobie w oczy.

– Przyszłam do ciebie, bo musiałam przyjść. A ty musisz przyjąć tę rolę. Rolę Magdaleny, tak jak ja rolę Armandy.

– Ale kto zagra Moliera?

– On – odpowiadam. – Rolę Moliera zagra on... W jej oczach pojawia się panika.

– My troje na scenie?

– Dwoje, moja rola jest epizodyczna.

Zaprzecza ruchem głowy, cofając się jednocześnie w głąb mieszkania.

– Ja nie mogę...

– Musisz się zdecydować. Jeżeli do jutra nie odezwiesz się do Brzeskiego, weźmie inną aktorkę.

Odwracam się i wychodzę. Jestem z siebie bardzo niezadowolona. Nie powinnam jej wyjawiać, że rolę Moliera ma grać Zygmunt. Najpierw ona powinna się zdecydować. Gdyby przystała psychicznie na rolę Magdaleny, już by się nie wycofała. Błąd, fatalny błąd, być może przesądzający całą sprawę. Starałam się jakoś naprawić jej życie, a jeżeli ona tego nie chce, to trudno. Łatwo tak mówić. Przecież jeżeli teraz nie wyjdzie z tego pustego mieszkania, nie wyjdzie z niego nigdy... Swoją drogą, gdzie są jej dzieci? Syn, zdaje się, studiuje za granicą, ale przecież ma jeszcze córkę. Nie czułam jej obecności...

Kiedy w dwa dni później Zygmunt wrócił do domu, zobaczyłam po jego minie, że już wie. Znając jego porywczy charakter, oczekiwałam awantury, ale zachowywał się podejrzanie spokojnie. Zjedliśmy kolację, potem zaczęliśmy zmywać naczynia, zgodnie z rytuałem: ja zmywałam, on wycierał. I zawsze najlepiej nam się wtedy rozmawiało.

– Wiesz – zaczął. – Głupia sprawa, ten Brzeski zwariował... Magdalenę ma zagrać... moja była żona...

– To bardzo ciekawa rola – odrzekłam obojętnie.
– Nie dziwię się twojej żonie, że ją przyjęła.

– Ale... ale jak wy to sobie wyobrażacie? Przecież to będzie jakiś skandal, sensacja... my troje na scenie...

– Liczy się tylko efekt – powiedziałam. – Jeżeli reżyser uważa, że dobrze obsadził sztukę, trzeba mu zaufać.

– Ty też! – krzyknął. – Co wam się wszystkim stało? Nie, ja się z tego wypisuję, nie będę robił z siebie błazna. Powinniśmy wycofać się oboje.

W tym momencie talerz wypadł mi z ręki; Zygmunt schylił się i zaczął zbierać skorupy.

– Ja się nie wycofam!
Uniósł głowę i spojrzał na mnie.

– To po czyjej jesteś stronie?

– Po stronie kobiet – odparłam już spokojnie. – Jeżeli moja koleżanka dostała wspaniałą rolę, nie mam zamiaru jej tego psuć.

Zygmunt był coraz bardziej wzburzony.

– Jaka twoja koleżanka! Ty jej przecież nie znasz.

– Ale ty ją znasz – odrzekłam lodowato.

– Owszem, znam ją i wiem, że się nie nadaje na scenę.

– Jałowiecki jest innego zdania.

– To ty już wiedziałaś o tej obsadzie!

– Tak, wiedziałam. I też na początku miałam różne wątpliwości, ale mi przeszło.

– Ale mnie nie przeszło! – wrzasnął.

– To się wycofaj, nie musisz grać w tej sztuce.

Moja odpowiedź zbiła go z tropu, przez chwilę nie wiedział, jak zareagować.

– Przecież ja mam główną rolę – powiedział wreszcie.

– Główną rolę męską.

– W ogóle główną rolę, to jest sztuka o Molierze.

– O Molierze i dwóch kobietach w jego życiu...

Zygmunt machnął ręką, potem sięgnął po kurtkę. Nagle coś mi zaświtało w głowie. Zasłoniłam sobą drzwi.

– Dokąd się wybierasz?

– Nie twoja sprawa, ty... feministko!

– Źle się wyraziłam – próbowałam załagodzić sytuację. – Jestem po stronie sztuki.

– Daj mi przejść.

– Ale nie pójdziesz do niej?

Nasze oczy się spotkały.

– Czy jest coś, o czym nie wiem? – spytał.

– Tak. Rola w tej sztuce może odmienić życie Elżbiety Górniak, które ty doszczętnie zrujnowałeś. Byliście razem tyle lat, a teraz nic cię ona nie obchodzi. Co ja mam myśleć o mężczyznach?

Znowu tu jest, przyszedł, mówi do mnie. Stale to samo: że muszę wrócić, żebyśmy mogli zacząć wszystko od nowa. Ale czy tak można... to tylko w teatrze wznawia się próby, a nawet przedstawienia odwołane na przykład z powodu choroby aktora. Ale tamto przedstawienie nie zostało odwołane, jedynie przełożone o tydzień...

Zygmunt starał się nam wszystkim przemówić do rozsądku, zaczął od reżysera, ale on był takiego samego zdania jak ja: że obsadzenie Elżbiety Górniak w roli Magdaleny to doskonały pomysł.

Rozmawialiśmy, stojąc we trójkę na pustej scenie.

– Robicie jej krzywdę – powiedział Zygmunt. – Ja ją znam, ona jest słaba psychicznie, nie wytrzyma tego ciśnienia... rozsypie się na waszych oczach i nie będzie co zbierać...

69

Brzeski spojrzał na niego spod oka.

– O nią się boisz czy o siebie?

– O siebie? – Zygmunt był naprawdę zdumiony tym pytaniem. – Ja sobie na scenie jak dotąd radzę.

– A poza sceną?

– Jak sobie radzę poza sceną, to ciebie gówno obchodzi – warknął, po czym zeskoczył na widownię i szybko odszedł pomiędzy rzędami. Głośno zamknął za sobą drzwi, a właściwie z rozmachem nimi walnął. Byłam przerażona tym wybuchem, bo Zygmunt nawet w chwilach najgorszego zdenerwowania nie używał podobnych słów; wściekał się, krzyczał, ale nigdy nie przeklinał. A teraz zachował się tak wulgarnie. Musiał naprawdę stracić kontrolę nad sobą. A przecież jeszcze nawet nie zaczęły się próby. Co będzie potem, jak ona pojawi się w teatrze.

Spojrzałam na Brzeskiego, był tak samo zaskoczony.

– Odbija coś małżonkowi – powiedział z krzywym uśmiechem.

– To po co go pan prowokuje?

– A czyj to był pomysł? Mój czy twój, dziecinko?

– Pomysł jest dobry. Czuję, że ona stworzy coś ważnego. Bo to jest materiał na wielką rolę – zapalałam się coraz bardziej. – Nawet jej trochę zazdroszczę, że będzie Magdaleną... znam na pamięć cały tekst. Spowiedź Magdaleny to jedna z większych scen w teatrze... *Lekarze powiedzieli, że krew moja zgniła, a widzę szatana i lękam się go...*[*]

Brzeski zrobił niecierpliwy ruch ręką.

– Nie ucz się nie swojej roli, taka jest zasada. Na Magdalenę masz jeszcze czas. Teraz zajmij się Armandą i tym swoim małżonkiem, może zacznij mu parzyć na noc melisę, podobno uspokaja.

– Panie Andrzeju... a jeżeli Zygmunt odmówi grania ze swoją żoną...

– Z byłą żoną – poprawił mnie. – Jak odmówi, to się będziemy martwić, na razie nie odmówił.

– Ale jej pan nie odbierze roli?

– Nie mam jej czego odbierać, jeszcze się tu nawet nie zjawiła.

– Ona przyjdzie.

– To niech najpierw przyjdzie – powiedział i odszedł za kulisy.

Zostałam sama. W tym otoczeniu tak mi znanym, deski sceny, zapach kurzu. To było moje środowisko naturalne, ale po raz pierwszy czułam się tutaj obco. Chyba dopiero w tym momencie uświadomiłam sobie, jak niebezpieczną podjęłam grę. Ja to wszystko rozpętałam i byłam odpowiedzialna za ciąg dalszy. Ale jaki będzie ten ciąg dalszy, nie zależało już przecież wyłącznie ode mnie. To znaczy trochę zależało, gdyż

---

[*] Wszystkie cytaty ze *Zmowy świętoszków* Michaiła Bułhakowa w przekładzie Jerzego Pomianowskiego.

podświadomie czułam, że tylko ja mogę przekonać Zygmunta, tylko ja mogę na niego wpłynąć. Wszystko jedno, jak tego dokonam, muszę go nakłonić, aby zagrał w tej sztuce i pozwolił w niej zagrać swojej żonie. Był jej to winien. Analizowałam jego słowa. Powiedział, że ona jest słaba i może psychicznie nie podołać roli. Więc może nie należy odczytywać jego zachowania jako buntu mężczyzny, który nie chce, aby mu przypominano, że kiedyś miał inne życie i że wymienił starszą żonę na młodszą. On nawet w którymś z wywiadów powiedział, że nie bywa sentymentalny i nigdy nie ogląda się wstecz. Więc może nie w tym rzecz. Może on się naprawdę o nią boi. Nie chce jej narażać na rozczarowanie i dlatego tak protestuje. Należy go przekonać, że Elżbieta musi podjąć to ryzyko, musimy je podjąć wszyscy. Dla jej własnego dobra i dla dobra teatru... Wielkie słowa, a co będzie, jeżeli Zygmunt ma rację i to wszystko się nie uda? Co wtedy? Jak ona wróci do swojego życia w pustym domu... Brrr... nawet nie chcę o tym myśleć. Jeżeli starczy jej odwagi, aby wejść na scenę, już odniesie zwycięstwo. Jeżeli nie starczy jej odwagi, pozostanie tam, gdzie jest. Ogarnęła mnie nagle samotność na tych deskach; stąpałam po nich jako Irina, jako Julia, jako Kasia z *Poskromienia złośnicy*, w której roli tak się podobałam publiczności, i były mi zawsze oparciem, a teraz czułam się niepewnie, jakbym znalazła się tu po raz pierwszy. Byłam aktorką, a podjęłam się reżyserii, chciałam reżyserować cudze życie, i to nie tylko w teatrze. Czy miałam do tego prawo? Darek ciągle mi wytykał, że swoje życzenia biorę za rzeczywistość. A jeżeli ten błysk talentu w jej oczach to tylko złudzenie? Nie, nie, nie mogłam się aż tak mylić. Kiedy po raz pierwszy do niej przyszłam i zobaczyłam jej twarz... To była twarz „do grania". Dlatego wtedy powiedziałam, że ma ciekawszą rolę. Nie myślałam o niej jako o zdradzonej żonie, myślałam o tym, kogo może grać. *Lekarze powiedzieli, że krew moja zgniła, a widzę szatana i lękam się go.* Wtedy się nie zrozumiałyśmy, ale już tamtego dnia, czy nam się to podobało, czy nie, ona była Magdaleną, a ja Armandą...

Brzeski wyszedł zza kulis tak cicho, że mnie przestraszył.

– Co wy wszyscy jesteście tacy nerwowi – rzekł, kiedy drgnęłam całym ciałem. – To tylko ja, wasz reżyser. Chciałem cię poinformować, że zadzwoniła twoja Magdalena, właśnie tu jedzie...

Przecież wszystko układało się wspaniale, na próbie generalnej widzowie wstali z miejsc i długo bili brawo, a to się naprawdę rzadko zdarza. Publiczność na próbie generalnej jest publicznością szczególną. Więc dlaczego tak się stało? Kto naprawdę zawinił?

Nie zaczekałam na nią, wyszłam z teatru, bo uważałam, że tak będzie lepiej. Brzeski starał się mnie zatrzymać, jakby obawiał się spotkania sam na sam z Elżbietą Górniak.

– Pan jest dyrektorem tego teatru i reżyserem w jednej osobie i pan podejmuje decyzje – powiedziałam niby żartem. – Nic tu po mnie.

– Ty mała żmijo – odparł niemal serio. – Namotałaś, namotałaś i chodu.

– Ale tu wrócę.

– Mam nadzieję – burknął.

Nie chciało mi się jechać do domu, wiedziałam, że Zygmunta nie ma, do wieczora miał zajęcia w Szkole Teatralnej. Postanowiłam pochodzić po sklepach, nie, żeby coś kupić, raczej pooglądać. Tyle teraz tych sklepów i tak w nich elegancko, wystarczy przespacerować się Nowym Światem i odczytać napisy na markizach: Nina Ricci, Christian Dior, Estée Lauder... Już od samych tych nazw pachniało. Weszłam do dużego salonu mody o włoskiej nazwie: jasno oświetlone wnętrze, ściany pokryte lustrami; manekiny ubrane w drogie kreacje można było oglądać jednocześnie ze wszystkich stron. Po chwili z pewnym rozbawieniem stwierdziłam, że i siebie mogę tak oglądać. Po raz pierwszy w życiu mogłam siebie oglądać w całości. I tylko początkowo wzbudziło to moją wesołość. Bo dopiero w tych lustrach dostrzegłam, jak bardzo jestem zmieniona. Zobaczyłam obcą dziewczynę, skurczoną w sobie, jakby niepotrafiącą sobie poradzić z tym, co nosi w środku. To był lęk. Lęk przed tym, co się może wydarzyć, a czemu nie będę mogła zapobiec. Lęk, że Elżbieta przyjmie rolę. Że jej nie przyjmie. Że Zygmunt zagra w tej sztuce albo że odmówi... bałam się wszystkiego. Słowem, jak w greckiej tragedii, każde wyjście było złe. Ale nie mogłam się już wycofać, kurtyna poszła w górę.

Zygmunt wrócił późnym wieczorem, leżałam już w łóżku. Kiedy wszedł do pokoju, udawałam, że śpię. Natychmiast to odkrył.

Widocznie wtedy byłam gorszą aktorką, teraz daje się nabierać, teraz gra w sztuce, którą tym razem sama piszę...

– Wiem, że nie śpisz – powiedział. – Przepraszam za mój wybuch, to się już nie powtórzy. I w porządku, zaproście ją do teatru. Jeżeli naprawdę musicie, to ją zaproście. Ale ja was ostrzegałem i chcę, żebyście to zapamiętali. Szczególnie ty powinnaś to zapamiętać.

– Dlaczego właśnie ja? – spytałam, otwierając oczy.

– Bo ta sytuacja cię wyraźnie bawi.

– To zbyt poważna sprawa, żeby mnie miała bawić albo nie bawić – odrzekłam.

– Otóż to, Brzeskiemu się wydaje, że wpadł na genialny pomysł. Chce przyciągnąć publiczność. Może lepiej zaangażowałby jakichś akrobatów i połykaczy ognia, wtedy by się to nie działo naszym kosztem.

– Zawsze płacimy.

– Ale tym razem zapłaci Elżbieta. – Nigdy przedtem w rozmowie ze mną nie użył jej imienia.

Uniosłam się na łokciu.

– A do tej pory nie płaciła? Zamknąłeś ją w czterech ścianach na całe lata, a potem ją w nich pozostawiłeś.

– Ja jej nie zamykałem. Sama wybrała.

– I teraz też wybiera sama, więc dlaczego tak protestujesz?

– Bo ona nie wie, co robi.

– A może właśnie wie, może wtedy nie wiedziała, a teraz wie?

– Wy zawsze macie rację!

Nie wiedziałam, czy ma na myśli kobiety w ogóle, czy też stawia mnie obok swojej żony. Wolałam tego nie dochodzić.

Kiedy przyszłam do teatru, nikogo jeszcze nie było. Usiadłam w sali prób przy stole, oglądałam swoje dłonie, jakbym je widziała po raz pierwszy. Przyjdzie – kołatało mi w głowie – na pewno przyjdzie... Zaczęli się schodzić inni, byli już prawie wszyscy z wyjątkiem Zygmunta, który prowadził w tym czasie zajęcia, jego rolę czytać miał reżyser, i samego reżysera. Ale wkrótce się pojawił. Teraz brakowało tylko Elżbiety Górniak.

– Czy możemy zaczynać? – spytał Brzeski, jakby nie zauważył jej nieobecności.

A potem usłyszeliśmy kroki i wszystkie głowy zwróciły się w stronę drzwi.

Elżbieta miała na sobie golf i spodnie. Włosy starannie uczesane. Makijaż, trochę za mocny na tę porę dnia. A może tylko ja tak to odebrałam, bo sama nie robiłam makijażu. Czułam się okropnie, nawet kiedy pudrowano mi nos, co więc mówić o teatralnej charakteryzacji, w której się niemal dusiłam. Błagałam charakteryzatorkę, aby mnie nie pacykowała. „Pani Olu – mówiła nieco urażona, że jej utrudniam pracę. – Oczy pani znikną przy tym oświetleniu na scenie". „Przynajmniej pozostanie nos" – odpowiadałam, bo teraz mogłam sobie na to pozwolić. Jak się okazało, nie był on żadną przeszkodą w dostaniu się do świątyni Temidy. A kiedyś sądziłam, że będzie, i myślałam nawet o operacji plastycznej. Ale ja to byłam ja. A Elżbieta chciała mieć po prostu dobre wejście. Starałam się to zrozumieć, chociaż zdecydowanie wolałam twarz, jaką mi pokazała, gdy ją zobaczyłam po raz pierwszy. Być może gdyby nie tamto spotkanie, nie byłoby jej teraz tutaj. Ja do niego doprowadziłam.

I byłam z tego powodu bardzo dumna. Uleciał gdzieś cały lęk.

Zaczynała się próba, koledzy zajęli swoje miejsca.

– Proszę państwa – powiedział reżyser, stając u szczytu stołu, a wszyscy nagle ucichli, patrząc na niego. – Zebraliśmy się tutaj, aby wspólnym wysiłkiem wskrzesić dzieło, które wyszło spod pióra Michaiła Bułhakowa, dramaturga szczególnie bliskiego naszemu teatrowi. Za mojej dyrekcji i za dyrekcji moich znakomitych poprzedników teatr nasz wystawił takie jego sztuki, jak *Dni Turbinów*, *Psie serce*, *Puszkin*, a teraz postanowiliśmy podjąć wspólny trud inscenizacji dzieła *Zmowa świętoszków*. Sztuki Bułhakowa żyją pełnym życiem teatralnym, nie straciły nic na wartości, bo jest to mistrz wielkich uogólnień...

Ale gaduła – pomyślałam. – Przeszedłby do rzeczy.

Ukradkiem spoglądałam na Elżbietę, która usiadła w końcu stołu, w pewnym oddaleniu od reszty aktorów. Ukryta za swoim starannym makijażem, była nie do odszyfrowania. Czym było dla niej to ponowne spotkanie z teatrem? Czy bardzo się bała?

– Obsada sztuki jest następująca – reżyser przeszedł wreszcie do konkretów. – Moliera zagra pan Zygmunt Kmita, nieobecny z przyczyn obiektywnych, ja go zastąpię w próbie czytanej, Magdalenę pani Elżbieta Górniak, co jest mi szczególnie miło zapowiedzieć, gdyż pani Górniak wraca na scenę po długiej przerwie. – Nie zareagowała na to, żaden mięsień nie drgnął w jej twarzy. – Armandę pięknie nam z pewnością wykreuje nasza gwiazda... – tu uśmiech w moją stronę.

Po co to mówi – przemknęło mi przez głowę. Chce ją upokorzyć, skłócić nas, błazen!

Nieświadom moich myśli, ciągnął dalej:

– W roli Marietty Rival wystąpi studentka drugiego roku Szkoły Teatralnej, pani Zuzanna Sokolik, uważamy bowiem, że trzeba zawczasu przysposabiać narybek do grania na prawdziwej scenie, stąd jej obecność w naszym przedsięwzięciu. Ona też jest nieobecna, ponieważ ma zajęcia z naszym bohaterem, Jean-Baptiste Poquelin de Molière, w Szkole Teatralnej, ale na następnej próbie już się pojawią oboje... Markiza de Charron, arcybiskupa paryskiego, zagra... – tu następowały nazwiska innych kolegów, ale zupełnie się wyłączyłam, tak jakbym straciła słuch, usta reżysera poruszały się niemo. To dobrze, że Zygmunt jest nieobecny – myślałam. – Bardzo dobrze. Elżbieta zdąży się trochę oswoić z nową sytuacją, do której on po prostu dołączy, miejmy nadzieję, najmniej boleśnie. Wszyscy spojrzeli w stronę stołu, na którym leżał projekt scenografii. Wstałam za innymi i również tam podeszłam, aby się przyjrzeć, ale nie wyrywałam się do szczegółowego przeglądania plansz. Potem była jeszcze mowa o kostiumach.

Rzecz cała miała się rozgrywać za kulisami teatru Palais Royal, gdzie aktorzy molierowscy tudzież sam mistrz wystawiali *Chorego z urojenia*. Tak właśnie być mogło, tak było na pewno. A teraz my to odtwarzaliśmy, to ich schodzenie ze sceny i prywatne rozmowy... Te prywatne rozmowy wymyślił inny nieżyjący już geniusz. Pod jego piórem Molier, grający Sganarela, pojawia się za kulisami i ciężko opadając na krzesło, woła: Wody!

A więc:

– *Wody!* – tą kwestią, która wyszła z ust reżysera zastępującego Zygmunta, zaczęła się nasza nowa teatralna przygoda, tym razem bardziej niż zwykle najeżona przeszkodami, ale też bardziej przez to pasjonująca.

Aktor grający Boutona niby to podsuwa Molierowi szklankę.

– *Już daję* – mówi.

Teraz inny z kolegów:

– *Król bije brawo!*

Reżyser:

– *Daj tu ręcznik!*

Niewidzialnym ręcznikiem ociera czoło. I teraz ona:

– *Prędzej! Król bije brawo!*

W tym momencie opanowało mnie uczucie takiej euforii, że z trudem powstrzymywałam się, aby nie zrobić czegoś głupiego, nie zaśmiać się na cały głos albo nie zerwać się na równe nogi i nie zacząć skakać do góry. Udało się! Udało się! – coś krzyczało we mnie. Chociaż to był dopiero początek pierwszej próby i Elżbieta odczytała swoją pierwszą kwestię:

– *Prędzej! Król bije brawo!*

To ja do tego doprowadziłam. Ja! Już tamtego deszczowego dnia, kiedy wychodziłam z gmachu Filmoteki Narodowej, myślałam sobie, że teczka Elżbiety Górniak nie może zawierać tylko tych kilku kopert, że powinna pojawić się przynajmniej jeszcze jedna, wypełniona recenzjami. Tak myślałam. Jak Judasz, który chciał wszystko naprawić. Tylko że jemu się nie udało...

Późnym wieczorem, po powrocie do domu – tego dnia grałam w *Ślubach panieńskich* – zobaczyłam zmienioną twarz Zygmunta. Więc on tak to przeżywa – pomyślałam i pojawiło się we mnie coś na kształt poczucia winy.

– Źle się czujesz? – spytałam, starając się nadać głosowi jak najwięcej ciepła.

– Tadeusz umarł.

Przez chwilę nie wiedziałam, o kim mówi.

– Jaki Tadeusz?

– Co ty, nieprzytomna jesteś? Wszyscy już wiedzą. Tadeusz Łącki. W Poznaniu, na scenie, podczas próby *Króla Leara*. Wiesz, jakie były jego ostatnie słowa?

Więc jakieś życie świta przede mną. Dalej, łapmy je, pędźmy za nim, biegiem, biegiem...

Tak to jest – pomyślałam. – Ktoś dziś w teatrze został wskrzeszony, kogoś innego zniesiono z desek... Nie powiedziałam tego głośno, bo Zygmunt potraktowałby to jak świętokradztwo. On i Darek mieli ze sobą coś wspólnego, doceniali wielkość Łąckiego.

– Największy aktor świata – mówił Zygmunt.

– Największy z największych – wtórował mu Darek, oczywiście nieświadomie.

Przygotowywałam kolację, podczas gdy Zygmunt oglądał ostatnie wydanie „Wiadomości"; dochodziła północ. Mówiono o Łąckim, wymieniając jego większe role teatralne. Zgasił telewizor i zasiedliśmy przy stole.

– A w teatrze co, jak przebiegła próba? – spytał, nie odrywając wzroku od talerza.

– Normalnie, jak to zwykle na początku, trochę zamieszania, rozdawanie tekstów. Brzeski truł przez godzinę o wielkości Bułhakowa, jakby to nie było ogólnie wiadome...

– Bułhakow pewnie lubi się przysłuchiwać – uśmiechnął się Zygmunt. – Nie pieszczono go za życia...

– Warto trochę pocierpieć, aby osiągnąć nieśmiertelność.

– On nie cierpiał trochę, on cierpiał bardzo.

Tobie też by się to przydało – pomyślałam z jakąś mściwością i sama się tego przestraszyłam.

– Myślę, że to będzie wydarzenie...

– Nie mów na zapas – przerwał mi. – Przecież cię uczyłem: w teatrze nigdy nie uprzedza się faktów...

Cisza, słychać tylko uderzenia sztućców o talerze.

– Elżbieta była?

– Była.

– No i jak?

– Też normalnie. Czytała rolę, pomyliła się dwa razy...

Zygmunt przestał jeść i przyjrzał mi się.

– Co się tak napuszyłaś jak sowa?

– Jestem zmęczona.

– Wszyscy mieliśmy dziś ciężki dzień, a dla Tadeusza był to dzień ostatni. Dwudziesty drugi lutego to czarna data dla teatru.

Pomyślałam o Darku i o tym, czym dla niego była ta śmierć. Postanowiłam odwiedzić go następnego dnia rano, przed próbą.

Skończył studia, ale nie zajmował się filozofią, przekwalifikował się, był teraz specjalistą od komputerów, i to podobno bardzo cenionym. Kupił sobie mieszkanie. Mieszkał sam. Mogłam zatelefonować i uprzedzić, że się do niego wybieram, jednak nie zrobiłam tego. Wiedziałam, że o tej porze zastanę go w domu, bo tutaj pracował, przygotowując programy dla różnych firm. Złapałam taksówkę. To był trzypiętrowy dom na Ursynowie. Nawet ładnie położony, na takich pagórkach porośniętych krzewami.

– No, no – powiedział na mój widok. – Któż to do mnie zawitał.

Prawie się nie zmienił, może tylko trochę nabrał ciała. Przedtem był chudy, nawet za chudy przy swoim wzroście. Rozejrzałam się po mieszkaniu, niedużym, ale funkcjonalnie urządzonym. Składało się z dwóch pokoi. W sypialni stał tylko tapczan i sprzęt muzyczny wysokiej klasy. Myśmy też chcieli podobny kupić, odstraszyła nas jednak cena, a poza tym miał za dużą moc do takiego wnętrza jak nasza kawalerka.

– Jak już zbudujemy dom... – powiedział Zygmunt, kiedy wychodziliśmy ze sklepu.

W drugim pokoju, który służył Darkowi do pracy, stał oczywiście komputer, poza tym regały na książki, stół, krzesła i fotel z lampką do czytania. Na ścianie niedaleko drzwi wisiał duży plakat z Tadeuszem Łąckim. Nie wiem, czy to przypadek, ale na stoliku pod plakatem paliła się świeczka. Darek pochwycił mój wzrok.

– Zapalam świecę, bo nie znoszę dymu – powiedział – a był tu przed chwilą mój kumpel i strasznie nakopcił.

– Ale świecy nie zgasiłeś.

– No, nie zgasiłem – przyznał, już wyraźnie zmieszany.

Zapalił ją dla Mistrza. Ten racjonalista i cynik postawił świeczkę na znak żałoby. Wzruszyło mnie to.

– Masz do mnie jakąś sprawę? – spytał wprost. Był najeżony, bo go nakryłam z tą świeczką.

– Jestem ciekawa, co u ciebie. Ta śmierć... Oboje z Zygmuntem bardzo ją przeżyliśmy. Zygmunt cenił Łąckiego.

– Teraz pewnie uważa, że sam został na placu.

Po co ja tu przyszłam – pomyślałam. – Nie wchodzi się dwa razy do tej samej rzeki.

Miasteczko, moje lata szkolne, z którymi wiązała się osoba Darka, to wydawało się takie odległe, nierealne. Nawet ten czas, kiedy mieszkaliśmy razem. Moja mama lubiła Darka i bardzo była zmartwiona, gdy zastąpił go Zygmunt.

– Gdybyś wyszła za Darka, byłabym o ciebie spokojna. To przyzwoity chłopak.

– Zygmunt też jest przyzwoity – odrzekłam.

– Olu, on jest ode mnie o trzy lata starszy! – Biedna mama, w tym momencie myślała jak księgowa.

Mój wybór zawodu od początku ją niepokoił.

– Ilu jest tych znanych aktorów, Olu? – mówiła. – A reszta wegetuje.

– Ale może spróbuję, mamo.

Kręciła tylko głową. Mój debiut w *Trzech siostrach* był dla niej wstrząsem. Wzięła urlop, przyjechała do Warszawy i chodziła na każde przedstawienie. Zamieszkała u mnie w kawalerce, a Darek wyniósł się na ten czas do kolegi do akademika.

– Nie mogę cię poznać. Niby to ty jesteś, wiem, że to ty, a jakby inna osoba.

– Bo to nie jestem ja. To Irina!

– Irina – powtórzyła mama niepewnie.

Kochałam ją, ale się nie rozumiałyśmy. Mama uważała, że kobieta powinna mieć normalny dom, męża, dzieci. Sama tego nie miała, mąż opuścił ją, gdy byłam niemowlęciem. Więc pragnęła tego dla mnie. Właśnie normalności, a w moim życiu nic nie było normalne, ani zawód, ani związek z mężczyzną.

– Przecież powinnaś mieć dzieci. I co, będą mówiły do niego „dziadku"?

Dzieci! – pomyślałam wtedy. – On już ma dzieci.

Prosto od Darka pojechałam na kolejną próbę czytaną, tym razem Zygmunt miał być obecny i jego studentka też. Jak to się powtarza, ja też zagrałam w sztuce, kiedy byłam jeszcze w Szkole Teatralnej. No tak, z tą różnicą, że otrzymałam jedną z głównych ról, a ona gra epizodzik. Ma tylko jedno prawdziwe wejście, gdy przez szparę w kurtynie mówi: *Proszę nas zrozumieć... do widzenia... Przedstawienie skończone... Proszę nas zrozumieć*, powtórzyłam jeszcze raz w myślach. A kto zrozumie mnie... Czegoś się ciągle bałam, uczucie niemal euforii mieszało się z nagłym lękiem. Że się może nie udać... Albo, jeżeli się uda, że zmieni się życie nas trojga. Może Zygmunt do niej wróci, przecież ona będzie teraz gwiazdą, tą sensacją sezonu, a on lubi poruszać się w świetle jupiterów, z modną aktorką przy boku. Czy nie dlatego tak mu zależało na ślubie ze mną? Po moim głośnym debiucie stałam się modna, reżyserzy prześcigali się w propozycjach. Mogłam wybierać. Nawet niedawno zgłosił się do mnie jeden z nich, proponując mi rolę w *Mistrzu i Małgorzacie*. Wiedziałam, że chce zrobić sceniczną adaptację tej powieści, mówił o tym w wywiadach.

– Jesteś za młoda na Małgorzatę – powiedział Zygmunt.

– On uważa, że zagram wszystko.

– To z pewnością. Ale nie wiemy, jak mu się uda adaptacja. Ta powieść to twardy orzech do zgryzienia dla teatru.

– Tym ciekawsze zadanie dla aktora.

– Dla aktorki – poprawił mnie kwaśno.

Kiedy przyszłam do teatru, nie było jeszcze Zygmunta, pewnie jak zwykle wpadnie spóźniony, nie było też Elżbiety. Jej nieobecność od razu zmieniła moje nastawienie i do niej, i do niego. Bałam się teraz o nią. Że Zygmunt jej odradził, nakłonił, aby się wycofała, i dlatego jej tu nie ma. Poczułam wielką ulgę, kiedy zobaczyłam ją w drzwiach. Czekaliśmy teraz już tylko na Zygmunta, a ja, przyglądając się Elżbiecie ukradkiem, zastanawiałam się, kim jest dla mnie ta kobieta. Dlaczego tak się uparłam, aby wróciła na scenę? Przecież jej wcale nie znałam. Tylu mężczyzn żeni się po raz drugi i żadna z nowych żon nie zajmuje się losem tej poprzedniej. Wcale nie musiałam do niej pójść. A jednak to zrobiłam. Dlaczego? Ona też mnie o to pytała. Czy na wszystko można znaleźć odpowiedź? Myślę że ktoś wyżej to zaplanował i że rozegrało się to poza nami dwoma. Tak zostało postanowione, że odwiedzę ją pewnego dnia i to spotkanie wywrze wpływ na nasze życie. Inaczej nie umiem tego teraz wytłumaczyć... A ten mój upór, żeby ona zagrała Magdalenę...

Zjawił się wreszcie Zygmunt ze swoją podopieczną. Wydała mi się niezbyt ciekawa, miała wyłupiaste oczy. Ale na pewno zdolna, bo on otacza się tylko zdolnymi studentkami. Zaczęła się próba. Tym razem to Zygmunt wypowiedział to:

– *Wody!*

A Elżbieta swoje:

– *Prędzej! Król bije brawo!*

Nie patrząc na siebie, czytali z nosami utkwionymi w egzemplarzach sztuki.

Nie było jakiejś szczególnej atmosfery, nigdy jej nie ma podczas pierwszych prób, kiedy się jeszcze nie zna tekstu. Jednak to, że tych dwoje odczytuje dialog, ten, a nie inny, zaczynało nabierać znaczenia, przynajmniej dla mnie. Kiedy Elżbieta odczytała: *Nikt nie wypędza nawet psa, który całe życie pilnował domu. Ale ty to potrafisz. Straszny z ciebie człowiek, boję się ciebie*, a Zygmunt jej odpowiedział: *Nie dręcz mnie, namiętność mnie opętała*, rozejrzałam się ukradkiem, jak inni to odbierają. Nie znałam dokładnie tekstu sztuki, tylko wyrywkowo, ale zachwyciła mnie scena spowiedzi Magdaleny. Niemal nauczyłam się jej na pamięć, podczas gdy inne ustępy mi umknęły. A całość była nader wymowna. Bałam się teraz, że zbyt wymowna i że wszyscy troje możemy wpaść w pułapkę, którą ja sama zastawiłam. Było jednak trochę za późno na takie obawy. Nie mogłam się skupić, myliłam swoje kwestie. W końcu reżyser się zdenerwował i zarządził przerwę, „żeby poniektórzy doszli ze sobą do ładu". Wiedziałam, że jest to skierowane do mnie. Chyba wtedy po raz pierwszy powstał w mojej głowie pomysł ucieczki. Schować się gdzieś, gdzie nikt by mnie nie znalazł, niczego ode mnie nie chciał, żebym miała wreszcie święty spokój. Zygmunt podszedł i objął mnie ramieniem.

– To my się jeszcze obejmujemy, takie stare małżeństwo – zażartował. Musiał wyczuć mój nastrój. On mnie kochał, bo tylko wtedy, kiedy się kogoś kocha, nie potrzeba niczego tłumaczyć. Teraz dawał mi do zrozumienia, że wszystko jest w porządku, że kontroluje sytuację. Poczułam wdzięczność i chyba miłość. Do oczu napłynęły łzy.

– Tylko nie becz – szepnął mi do ucha i pocałował we włosy, ukradkiem, żeby inni nie widzieli. Był nagle taki bliski, przecież ja nikogo poza nim tak naprawdę nie miałam. A chciałam przeciw niemu spiskować, i to z jego byłą żoną, która nie mogła mu być teraz życzliwa.

Powiem mu, że u niej byłam – pomyślałam. – Do wszystkiego się przyznam. Ma prawo wiedzieć...

Ale zaraz po próbie rozeszliśmy się w dwie różne strony i spotkaliśmy się, jak zwykle, dopiero późnym wieczorem. Zygmunt miał jakieś problemy w Szkole, księgowa zgubiła rachunki. Cały czas o tym mówił. Potem poszliśmy spać. Mieliśmy tylko tyle siły, żeby się do siebie przytulić.

Próby trwały, z wolna stawaliśmy się zgranym zespołem. Sprawy prywatne odchodziły w cień. Obserwowałam, można powiedzieć, że podglądałam, jak Elżbieta buduje swoją rolę. Nigdy tego przedtem nie robiłam, zawsze szukałam pomysłu na rolę w sobie, ale tym razem chodziło o nią. Jak ona sobie poradzi z rolą. Radziła sobie świetnie. Z każdym dniem jej Magdalena stawała się pełniejsza. Początkowo, kiedy grała z Zygmuntem, była wyraźnie spięta, ale z czasem Zygmunt przestawał być Zygmuntem, a stawał się Molierem. Nie tylko ja to zauważyłam. Atmosfera na próbach się zagęszczała. Dawno już takiej nie było, cały zespół miał poczucie, że powstaje spektakl wyjątkowy. Raz jeden wydawało się, że wszystko się zawali. Zgodnie z rolą usiadłam Zygmuntowi na kolanach i objęłam go za szyję.

Zygmunt-Molier powiedział:

– *Moja dziewczyna! Teraz to już nic strasznego. Już się zdecydowałem. Przysięgnij, że mnie kochasz.*

Na to ja:

– *Kocham, kocham, kocham.*

I Molier:

– *Nie oszukasz mnie? Bo widzisz, już mi się robią zmarszczki, zaczynam siwieć. Dookoła sami wrogowie i hańba by mnie zabiła!*

Ja mówię:

– *Nie, nie! Jak można coś takiego...*

Molier:

– *Chciałbym żyć jeszcze całe stulecie! Z tobą! Ale nie bój się, będę musiał za to płacić, będę. Wiesz, co ja zrobię z ciebie? Będziesz pierwsza wśród najlepszych, zostaniesz wielką aktorką! Tak sobie zamarzyłem i tak być musi!*

I wtedy Elżbieta zeszła ze sceny. Reżyser się zdenerwował.

– Wiedziałem, że tak będzie! Za dużo bab w tym spektaklu.

– Właściwie tylko dwie – stwierdziłam niewinnie.

– O jedną za dużo!

Odnalazłam ją w garderobie, paliła papierosa.

– Musisz wrócić na scenę – powiedziałam zdecydowanym tonem.

– To wszystko jest bez sensu, on się nie nadaje na Moliera. Nie pasuje do niego ani psychicznie, ani fizycznie... Czytałaś *Życie pana Moliera* Bułhakowa? Nie? To przeczytaj. Zrozumiesz, jaki powinien być Molier.

Sądziłam, że jest zazdrosna, a ona miała zastrzeżenia do gry Zygmunta. Albo tak tylko udawała, nie chcąc się przyznać, o co jej poszło naprawdę. Nie, niczego nie udawała. Czułam to. Była ze mną szczera, bo wiedziała, że może sobie na taką szczerość pozwolić. Po raz drugi w naszych stosunkach zaszła zmiana, czy raczej one się jeszcze pogłębiły. I to działo się poza Zygmuntem, przynajmniej chciałam, żeby tak było, bo to mnie uwalniało od wyrzutów sumienia. Stałyśmy się niejako wspólniczkami. Ta sztuka była nasza. Moja i jej. I nikt nie miał prawa jej zepsuć, nawet Zygmunt, czy przede wszystkim Zygmunt. Elżbieta dawała mi do zrozumienia, że musimy same jakoś temu zaradzić, skoro reżyser jest tępy. Może dlatego wyszła, żeby mi to przekazać. Nie krytykowało się gry partnera, od tego był reżyser. Czasami można było coś dodać od siebie, coś podpowiedzieć, ale i to w szczególnych okolicznościach. Liczyło się też, kto wygłasza takie uwagi. Z pewnością nie powinna tego robić ani początkująca aktorka, ani aktorka, która po długiej przerwie wraca na scenę.

– Musimy już iść do nich – powiedziałam, patrząc jej porozumiewawczo w oczy. Bez słów przekazywałam Elżbiecie, że jej intencje zostały odczytane.

– Idź, ja też zaraz przyjdę. – Wróciłam na scenę.

– No i co? – spytał reżyser.

– Zaraz tu będzie – odrzekłam.

– A co ją ugryzło?

– Kobieta czasami musi wyjść.

Kolega grający Jednookiego parsknął:

– Andrzej, jak baby są w obsadzie, to bierz pod uwagę, że miewają miesiączki.

– Tego nie ma w tekście, to po co zabierasz głos? Oszczędzaj siły – powiedziałam i nie było to eleganckie, bo wszyscy w zespole wiedzieli, że aktor miał kłopoty z pamięcią. Przyczyną był jak zwykle alkohol.

Wróciła Elżbieta i próba potoczyła się dalej.

Na następnej próbie wręczyła mi kopertę. Nawet nie musiałam zaglądać, żeby zobaczyć, co w niej jest. To z pewnością była powieść Bułhakowa. I nie pomyliłam się. Czytałam ją ukradkiem, nie chcąc, aby Zygmunt mnie na tym przyłapał. Bo czytałam ją przeciwko niemu, przeciwko jego graniu w tej sztuce, a dowody jego winy znajdowałam na stronach niedużej, niemniej wspaniale napisanej książeczki *Życie pana Moliera*. Tak, Zygmunt nie przypominał Moliera ani trochę. Nie było w nim tych zmarszczek, tego zmęczenia. Przecież Molier czuł się zmęczony i to, że się zakochał, było dla niego ciężarem, brzemieniem. Wiedział, że za to zapłaci, ale nie mógł się cofnąć... miłość do Armandy była jak śmierć... A Zygmunt zakochał się jako pełen sił i entuzjazmu mężczyzna, któremu dobrze się wiodło. Grał w tenisa, doglądał budowy domu i cieszył się mną. Czuł się w swojej miłości bezpiecznie... Więc jak miał zrozumieć tego znękanego nieustannymi kłopotami człowieka, uwikłanego w miłość do kobiety o tyle młodszej, a kto wie, czy nie własnej córki... Natomiast Elżbieta zrozumiała Magdalenę. To się czuło, z próby na próbę jej rola rosła. Nie wiedząc o tym, stawaliśmy się bardziej jej widzami niż partnerami. Scena jej spowiedzi dosłownie zapierała dech w piersiach.

– *Jestem chora, ekscelencjo* – mówiła głosem naprawdę ciężko chorej, umierającej.

Aktor grający Charrona też dawał z siebie wszystko, ona nas ciągnęła swoją rolą w górę. Więc on mówi:

– *I cóż, zbierasz się do opuszczenia tego świata?*

Na to Magdalena:

– *Dawno chcę go opuścić.*

CHARRON: *Na co cierpisz?*

MAGDALENA: *Lekarze powiedzieli, że krew moja zgniła, a widzę szatana i lękam się go.*

CHARRON: *Jak bronisz się przed szatanem, nieszczęsna kobieto?*

MAGDALENA: *Modlę się.*

CHARRON: *Bóg cię za to nagrodzi i pokocha.*

MAGDALENA: *A czy Bóg nie zapomni mnie?*

CHARRON: *Nie. Mów, jakie masz grzechy.*

MAGDALENA: *Całe życie grzeszyłam, ojcze. Byłam wielką grzesznicą, kłamałam, przez wiele lat byłam aktorką i mamiłam ludzkie zmysły.*

CHARRON: *Przypominasz sobie jakiś grzech szczególnie ciężki?*

MAGDALENA: *Nie pamiętam, ekscelencjo.*

CHARRON: *Ludzie są szaleni. Przybędziesz z rozpalonym hakiem w sercu, a nikt ci go tam z serca nie wyjmie. Nigdy! Czy rozumiesz, co to znaczy „nigdy"?*

MAGDALENA: *Zrozumiałam. Ach, boję się!*

Nasz niezbyt, co tu ukrywać, zdolny kolega w tym momencie był duchownym, spowiednikiem i kusicielem zarazem, mówił niemal przymilnie, chcąc wyciągnąć z Magdaleny prawdę, ale gdzieś za tą przymilnością kryła się groza. A ona była po prostu Magdaleną.

CHARRON: *I czeluście ogniste zobaczysz, a między nimi...*

MAGDALENA: *...chodzą strażnicy piekielni...*

CHARRON: *...i szepcze strażnik... czemuś nie wyzbyła się swego grzechu, czemuś go zabrała ze sobą?*

MAGDALENA: *A ja ręce załamię i wezwę Boga.*

CHARRON: *Ale wtedy już Bóg cię nie usłyszy. I zawiśniesz na swoich łańcuchach i ogień ci zacznie lizać nogi... I tak już będzie zawsze. Czy rozumiesz, co to znaczy „zawsze"?*

MAGDALENA: *Boję się zrozumieć. Jeżeli zrozumiem to słowo – umrę zaraz.*

Twarz Elżbiety wykrzywił ból, rysy zesztywniały, przeraziłam się, że jej samej coś się stało. Ale to ciągle dotyczyło Magdaleny.

MAGDALENA: *Zrozumiałam. A jeżeli zostawię go tu?*

CHARRON: *Po wiek wieków będziesz słuchać modłów anielskich.*

Inspicjent się zagapił i nie puścił taśmy z nagranym dziecięcym śpiewem, czy raczej się spóźnił, ona zaś wodząc rękoma jak w ciemności, mówiła dalej:

MAGDALENA: *Chcę po wiek wieków słuchać modłów anielskich... Bardzo już dawno temu żyłam z dwoma mężczyznami naraz i urodziła mi się potem córka, Armanda, a później całe życie dręczyłam się, nie wiedząc, od którego ją mam...*

CHARRON: *Ach, biedaczko...*

MAGDALENA: *Urodziłam ją na prowincji. Kiedy zaś urosła, przywiozłam ją do Paryża i wszystkim mówiłam, że to moja siostra. On tymczasem, dręczony namiętnością, dobrał się w końcu do niej, ale nicem już nie mówiła, aby nie czynić jego także nieszczęśliwym. Przeze mnie może popełnił on grzech śmiertelny, mnie zaś strącił do piekieł. A ja chcę słuchać anielskich modłów...*

W tym momencie podopieczna Zygmunta zaczęła szlochać. Wszyscy na nią spojrzeli.

– Co pani wyprawia? – spytał ostro reżyser. – Pani nam dezorganizuje pracę...

Dziewczyna rozszlochała się na dobre.

– Ja nigdy nie widziałam z bliska, żeby ktoś tak grał...

– Te baby – rzekł, machnąwszy ręką. – Wracamy do pracy...

Ale nie tylko ona tak odebrała tę scenę, my wszyscy byliśmy wstrząśnięci. Po raz pierwszy Elżbieta zagrała całą sobą.

Potem było moje wejście.

– *Nie, nie, to tylko moja siostra* – broniłam się, czy raczej broniła się Armanda.

– *To jest twoja matka* – grzmiał Charron. – *Wybaczam ci, coś uczyniła. Ale jeszcze dzisiaj masz odejść od niego, odejść!*

Może i od niego odejdę – pomyślałam i w tej samej chwili oczy moje i Zygmunta spotkały się. Dostrzegłam w nich strach.

Po próbie w kilka osób poszliśmy do bufetu napić się herbaty. Zygmunt jak zwykle się śpieszył, miał zajęcia na Miodowej. Zabrał ze sobą swoją płaczliwą studentkę, która dalej przeżywała to, co zaszło na scenie. Ale ja też przeżywałam. Przeżywaliśmy wszyscy, bo nieczęsto coś takiego się wydarza.

– Elka – powiedział któryś z kolegów do Elżbiety Górniak. – Spasuj trochę, bo co będzie na premierze? Wszyscy wylecimy przez sufit.

Elżbieta uśmiechnęła się lekko.

Wieczorem wróciłam do domu, taszcząc zrobione przed spektaklem zakupy, a zaraz po mnie pojawił się Zygmunt.

– Czekałem na ciebie jak głupi pod teatrem, a ty pojechałaś autobusem – rzekł z pretensją.

– Nie umawialiśmy się.

– Ale zawsze staram się ciebie zabierać.

Nie mogliśmy tego, co zaszło na próbie, pominąć milczeniem. Ja jak zwykle zmywałam po kolacji, Zygmunt wycierał.

– Ona się niepotrzebnie popisuje – powiedział. – Próba jest po to, aby opanować tekst.

– Uczyłeś mnie czego innego.

– No, trzeba grać, ale parę zachowuje się na koniec, żeby nie poszła w gwizdek.

– A mnie ta dzisiejsza próba dużo nauczyła.

Parsknął lekceważąco.

– Ona nie ma żadnej techniki teatralnej, więc ciekawe, czego masz się od niej uczyć?

Spojrzałam na niego.

– Chcesz przez to powiedzieć, że nie podoba ci się jej gra?

– Nie to, że mi się nie podoba. Jest dobra w tej roli...

– Jest rewelacyjna!

– Zawsze miałaś skłonności do przesady.

Uczułam przypływ gniewu, wiedziałam, że nie powinnam tego mówić, ale nie byłam w stanie nad sobą zapanować.

– Ona przerosła nas wszystkich w tej sztuce, a ciebie po prostu w niej nie ma! – wypaliłam.

– Za smarkata jesteś, żeby mnie oceniać – odrzekł ostro, a potem rzucił ścierkę na podłogę i wyszedł z kuchni. Nastawił telewizor.

To były trudne dni dla nas wszystkich. Staraliśmy się jej dorównać, ale jak dorównać komuś, kto niczego nie gra, kto po prostu jest tą postacią. Z próby na próbę okazywało się, że Elżbieta wcale się przed nami nie popisywała. Za każdym razem przy scenie spowiedzi ciarki nam chodziły po plecach. A przecież ona nic specjalnego nie robiła. Mówiła cichym, znękanym głosem znany nam wszystkim na pamięć tekst, ale ten tekst brzmiał jak największa teatralna prawda. Trudno jednak zaprzeczyć, że jeden aktor wypowiada magiczne zdanie *Być albo nie być* i to jest porażające, a inny mówi dokładnie te same słowa i nic z tego nie wynika.

A co wyniknie z mojej mistyfikacji? Dlaczego założyłam sobie, że dopiero wtedy się ujawnię, kiedy ona do mnie przyjdzie? Przecież to ona zerwała naszą niepisaną umowę... po prostu nie przyszła na premierę, zawiodła wszystkich... więcej, zniszczyła spektakl, bo z jej następczynią już nie potrafiliśmy grać, pamiętając dobrze, jak ona grała... Więc dlaczego w tym tkwię, skoro robi mi się coraz mniej wygodnie... Tkwię w tym, bo rozmawiam sama ze sobą i jeszcze tej rozmowy nie dokończyłam.

Któregoś dnia po próbie Elżbieta podeszła do mnie, odczekała, aż Zygmunt się ulotni, on się przecież zawsze śpieszył i ciągle był dokądś spóźniony. Zajęcia ze studentami, nagranie w radiu, próba w telewizji do poniedziałkowego teatru, a zaraz potem rozmowy z dyrekcją tego teatru na temat inscenizacji *Dziadów* Mickiewicza, ta sprawa jako wielkie przedsięwzięcie, obejmujące wszystkie części dzieła, od dawna chodzi mu po głowie. Ale potrzebne są na to spore pieniądze, których oczywiście nie ma. No i wreszcie partia tenisa, i godzinka na siłowni. On bardzo dba o formę. I to też go odróżnia od Moliera. Molier o formę nie dbał nic a nic, właściwie chorował na wszystkie możliwe choroby, co dodatkowo pogarszała hipochondria, na którą cierpiał od lat. Może dlatego zresztą chorował, że na nią cierpiał.

I tutaj należałoby docenić geniusz człowieka, który potrafił śmiać się z tego, co go w głębi duszy najbardziej przerażało... śmiać się z samego siebie potrafi tylko wielkość... Chory z urojenia Molier pisze sztukę o chorym z urojenia... *Pytam tibi – co się bierze, przy suchotach i cholerze? Lewatywę oraz senes. Bene, bene, bene, bene!*

I właśnie Zygmunt, którego nigdy nie bolała głowa i który nie łapał grypy, mimo że zapadało na nią pół Szkoły Teatralnej, postanowił wcielić się w jego postać. A to, poza komplikacjami artystycznymi, oznaczało dalszą kradzież, dalsze okrawanie jego wypełnionego co do minuty dnia.

Za dużo jak na jednego człowieka, który w dodatku mieszkał z żoną w ciasnej kawalerce i nie miał szans wypocząć. Ciągle na siebie wpadaliśmy, ciągle jedno drugiemu coś przekładało w inne miejsce i nie wiadomo było, gdzie to teraz jest. Kiedyś tekst jego roli znalazł się w koszu na śmieci i żadne z nas nie potrafiło wytłumaczyć, skąd się tam wziął. Innym razem pół godziny szukaliśmy rakiety tenisowej, a partner czekał na korcie. Zygmunt wściekał się, ale kiedy widział, że zbiera mi się na płacz, natychmiast się wypogadzał:

– No, malutka – mówił. – Przecież to bez znaczenia, skoro się jeszcze dotąd nie pozabijaliśmy na tych paru metrach, to znaczy, że się bardzo kochamy.

Powinnam też pamiętać o tym, że kiedy któregoś dnia już wychodził na zajęcia, a w łazience pękła rura, zakasał rękawy i pomagał mi zbierać wodę.

A ja mimo to skwapliwie przystałam na zaproszenie jego byłej żony, a nawet czułam się z tego powodu uszczęśliwiona.

Zastanawiałam się, czy kupić jej kwiatek, ale właściwie kobieta kobiecie nie powinna przynosić kwiatów, a poza tym kwiaty w kontekście mojej pierwszej wizyty, kiedy to wazon zleciał mi na głowę, byłyby co najmniej nietaktem. W końcu kupiłam wino. Okazało się, że ona też wpadła na ten pomysł. Najpierw otworzyłyśmy moje wino, bo było czerwone; ona kupiła białe.

– Pamiętasz taki film *Zakręt*? – spytała, gdy już w pierwszej butelce widać było dno. – Nie możesz pamiętać, byłaś wtedy smarkata. To jedyny film, w którym zagraliśmy z Zygmuntem razem. Dwie główne role...

Spojrzała na mnie spod oka.

– Chciałabyś go obejrzeć? Mam kasetę, kiedyś szedł w telewizji...

– Tak, chciałabym – odrzekłam grzecznie, chociaż wcale nie byłam tego taka pewna.

– To dobry film, chociaż krytyka go przemilczała, i dobra rola Zygmunta.

Włączyła magnetowid i po kilku sekundach ukazała się czołówka. Zespół filmowy Tor przedstawia film pt. *Zakręt*, w rolach głównych: Joanna – Elżbieta Górniak, Franek – Zygmunt Kmita... Historia pielęgniarki, kobiety o ustabilizowanym życiu osobistym: opiekuńczy mąż, własne mieszkanie. Wszystko na swoim miejscu. I nagle pojawia się niespokojny duch, taki socjalistyczny outsider o pogmatwanym życiorysie. Trochę na bakier z prawem, o szalonych pomysłach i dużym wdzięku. Polski Alain Delon. Delon był przecież tak samo urodziwy i tak samo gładki w swojej grze. I też miał na koncie wiele filmów, mniej lub bardziej udanych. Filmów, które się zapominało zaraz po obejrzeniu. Czy był więc jak Zygmunt aktorem konfekcyjnym? Tylko jedną jego rolę zapamiętałam. Telewizja puściła film późno w nocy, czarno-biały, taśma mocno sfatygowana, bo nakręcony został dawno. Nosił tytuł *Rocco i jego bracia*. Zygmunt takiego filmu nie miał, nie miał żadnej naprawdę wielkiej roli, a nawet znaczącej. Może właśnie w *Zakręcie* taką stworzył...

Wzruszyłam się, gdy się pokazał na ekranie, był taki młody, Boże, jaki młody. Chyba miał tyle lat co ja teraz. Zrobiło mi się też odrobinę smutno, że nie spotkaliśmy się wtedy. Ale wtedy byłam smarkata, jak powiedziała jego żona.

Joanna bardzo się broni przed uczuciem do naszego outsidera, podejrzewając, że źle się dla niej skończy, i chyba ma rację. Bo on niemal siłą zabiera ją na przejażdżkę kradzionym samochodem, jedzie zbyt szybko, na zakręcie samochód wpada w poślizg. Bohaterka ginie. W ostatniej, naprawdę przejmującej scenie Franek ociera jej wypływającą kącikami ust krew, jest w tym geście tyle delikatności, jakby ona jeszcze mogła to poczuć.

Oglądając film, zastanawiałam się, dlaczego Elżbieta mi go puściła, co chciała przez to osiągnąć, może miał być wstępem do rozmowy? Może zaprosiła mnie tutaj, żeby coś na mnie wymóc, na przykład wycofanie się ze związku z jej mężem. Co jej odpowiem, jeżeli z tym wystąpi?

– No i jak? – spytała, wyłączając magnetowid.

– Dobry film.

– Zygmunt dobrze gra.

– Ty też grasz dobrze.

– Jestem jakaś za bardzo ospała... Nigdy nie umiałam oswoić się z kamerą, peszyła mnie. Widziałaś, jak ja chodzę? Jakbym kij połknęła.

Po co ona to wszystko mówi? – pomyślałam. Otworzyła drugie wino, podała mi kieliszek.

– Ty w ostatnim swoim filmie grałaś lepiej ode mnie – powiedziała. – Umiesz sobie poradzić z kamerą. Mnie chyba bardzo zaszkodziła Szkoła, wychodzi się stamtąd z taką manierą... Jedne aktorki potrafią ją zgubić, inne nie...

Znowu popatrzyła na mnie z ukosa.

– Olka, lubię cię, naprawdę – rzekła nieoczekiwanie. – I chciałam ci powiedzieć, że więcej od ciebie dostałam, niż mi zabrałaś. Czy to dobrze po polsku? Przedtem cię nienawidziłam, a ty mi odmieniłaś życie...

– I na dobre, ale i na złe – przyznałam samokrytycznie.

– Więcej dobrego. Nie myśl, że zostałam w tyle tylko dlatego, że wychowywałam nasze dzieci, moje i Zygmunta. To był pretekst; taka zasłona, za którą mogłam schować swoje niepowodzenie. To, że mnie reżyserzy nie angażują. W tamtym okresie panowała moda na inny typ aktorki, inny typ urody. Więc przychodziłam co miesiąc po gażę do teatru, i to był jedyny powód mojej tam wizyty, czułam się coraz bardziej głupio...

– Przecież odniosłaś sukces w *Tangu* Mrożka.

– Przez chwilę światła skierowane są na ciebie, potem gasną, przychodzą inni. To jest teatr. Ty też o tym pamiętaj.

Skinęłam potakująco głową.

– A twoje dzieci? – odważyłam się spytać.

– Syn jest za granicą, tam studiuje, od naszego rozwodu się nie odzywa, obraził się na nas oboje... A z Ewą żyjemy w przyjaźni. No i ona mnie właściwie utrzymuje, jest bardzo zaradna, przedsiębiorcza, ma własną firmę. Prowadzi ją razem z mężem. Taka bizneswoman... Ona z kolei bagatelizuje odejście Zygmunta. Uważa, że i tak od dawna nie był obecny... – zamyśliła się na chwilę. – Właściwie nie sam Zygmunt był mi potrzebny, ale ta instytucja małżeństwa, bo to jest instytucja. Cała struktura budowana przez lata. I nagle się zawala. Co wtedy robić?

– Ratować się – wtrąciłam, kręciło mi się lekko w głowie, bo nie piję alkoholu, a przynajmniej bardzo rzadko. No i sama ta sytuacja, to, że siedzimy tak obok siebie i mówimy o czymś, o czym my właśnie nie powinnyśmy mówić.

– Żono, nie bądź pewna dnia ni godziny! – wyrzekła głośno, wznosząc kielich do góry. – Może już jutro on ściągnie z pawlacza walizkę...

Przypomniałam sobie dzień, kiedy Zygmunt stanął w drzwiach mojej kawalerki z walizką, i poczułam się bardzo głupio. Elżbieta chyba nie dostrzegła mojego zmieszania.

– Kobiety też odchodzą – powiedziałam.

– Rzadziej. A te porzucane mają o wiele mniej szans niż faceci. Popatrz w naszym środowisku, ilu z nich pozmieniało sobie żony na młodsze, a te starsze żyją samotnie, i tak się starzeją, tak się z wolna zamieniają w smutne wdowy...

– Uważasz pewnie, że Zygmunt wymienił cię na mnie – zaczęłam, przełykając ślinę; objaw dużego zdenerwowania.

– Jakbym tak myślała, toby cię tu nie było. Na początku tak myślałam, muszę się przyznać, ale potem, jak cię zobaczyłam...

Urwała nagle. Bałam się tego, co teraz powie.

– Ty nie przypominasz tych dziewcząt ze Szkoły Teatralnej, które się czepiają ramienia pana rektora czy profesora, bo to dla nich szansa, żeby nie zniknąć ze sceny. Ty jesteś prawdziwą aktorką. I chyba się naprawdę z Zygmuntem kochacie... Co nie znaczy, że on jest lepszy od swoich wybitnych koleżków...

Dolała mi wina do kieliszka, a kiedy się pochyliła, poczułam na twarzy jej kwaśny oddech. Zrobiło mi się mdło.

– Zygmunt ciągle podkreśla, że nie pamięta o swoich urodzinach, nawet te pięćdziesiąte przegapił. Nie wierz w to, umiera ze strachu, że przestanie być sprawny... liczy swoje latka, oj, liczy... Każdy liczy, ja swoje też... ty może jeszcze nie, ale ja już tak...

Przecież to nie moja wina, że wy oboje się starzejecie – pomyślałam z pretensją.

Ona roześmiała się nagle głośno.

– Zapamiętaj jedno, dla niego znacznie ważniejsze jest chodzenie na tenisa niż największa miłość. Gdybyś mu kazała wybierać, wybrałby kort, więc mu nie stawiaj warunków... – Twarz jej spoważniała. – Ty nie byłaś jego alibi, jego obroną przed starością. On się w tobie zakochał... Przedtem ciągle miewał jakieś romanse. Jeździł do Krakowa do jednej aktorki ze Starego Teatru, wszyscy o tym wiedzieli, ale mnie to nie obchodziło. Żyłam poza środowiskiem... nawet wolę, że on z tobą jest... to jakieś szlachetniejsze... I ty... nie obraź się... No, nie jesteś tylko ciałem, to mnie uspokaja... to go w moich oczach rozgrzesza...

– Dla nas trojga – odezwałam się cicho. – Dla ciebie, dla mnie i dla niego, najważniejszy jest teatr...

– Powiedziała Armanda do Magdaleny – zakończyła z komiczną miną. Była już chyba wstawiona.

– Wspaniałej Magdaleny! Wielkiej Magdaleny!

– I przestraszonej.

– Czego ona się boi? Już nie musi się bać...

– *Lekarze powiedzieli, że krew moja zgniła, a widzę szatana i lękam się go...*

Przychyliłam się do niej, a ona mnie objęła. Kołysała mnie w ramionach jak dziecko.

Jak tylko Zygmunt znikał z pola widzenia, wychodziłyśmy razem z teatru. I albo spacerowałyśmy po mieście, albo wędrowałyśmy do Łazienek. Czasami wyjeżdżałyśmy jej samochodem za miasto. Zbliżała się wiosna, niektóre dni były naprawdę piękne...

Rozpoczęliśmy siódmy tydzień prób, a więc coraz mniej czasu dzieliło nas od premiery. I to się wyczuwało. Pędziłam do teatru jak na skrzydłach. Już nie tylko Magdalena tam na mnie czekała, czekała tam także Elżbieta. Podczas jednej z naszych wędrówek nad Wisłą spytałam ją:

– Dlaczego mi wtedy puściłaś ten film? Czy to miało coś znaczyć?

– Chciałam ci udowodnić, że byłam marną aktorką filmową.

– Tam był także Zygmunt.

– Ale on był lepszy.

– Za to ty teraz jesteś lepsza, nie wiem, jak on sobie z tym poradzi. Przecież wszyscy to widzą...

Spojrzała na mnie po swojemu, trochę z ukosa. Wydaje mi się, że miała lekkiego zeza. Może dlatego Jałowiecki powiedział, że było w jej twarzy coś chorobliwego. Ale zez jej nie szpecił, przeciwnie, dodawał jej kobiecego czaru. Jedna z włoskich aktorek, zapomniałam jej nazwiska, też miała zeza, bardziej nawet widocznego, a pisano peany na cześć jej urody. Boże, jak ona się nazywała... Może Elżbieta by wiedziała, ale jak ją spytać o zezowatą aktorkę?

– On sobie poradzi – powiedziała. – Zawsze sobie radził.

W jej głosie pojawiła się nuta niechęci.

– Nie lubisz go? – odważyłam się spytać, sądziłam, że nasza zażyłość mi na to zezwala.

– Nie przepada się za kimś, od kogo jest się zależnym.

– Nie jesteś od niego zależna. To on jest teraz zależny od ciebie. Możesz mu zrobić rolę albo możesz go pogrążyć.

Uśmiechnęła się.

– Jak go znam, zrobi coś takiego w ostatniej chwili, że jego będzie na wierzchu.

Tylko pokręciłam głową.

– Co on może zrobić? Za dwa tygodnie premiera. I twoja Magdalena rośnie, a jego Molier się kurczy.

– Powiedziałam ci już dawno, że nie powinien go grać.

– To nie nasza sprawa – odrzekłam lekko.

– Nie? A myślałam, że to jednak nasza sprawa...

Czułam, że Zygmunt chce mnie o coś zapytać, tylko nie wie, jak zacząć. Może chciał porozmawiać o swojej roli. Z próby na próbę wypadał gorzej. Dziwne, że reżyser nie miał żadnych uwag. Pewnie gdzieś liznął, że jedna gwiazda wystarczy, aby utrzymać przedstawienie. Przecież podobnie było z Łąckim. Wszystko mogło kuleć, a on wchodził na scenę i widziało się tylko jego. W *Zmowie świętoszków* widziało się przede wszystkim Magdalenę.

– Olu – zaczął wreszcie. – Jest taka sprawa... Wiesz, powstaje nowy dwutygodnik, taki polski „Paris Match", i redaktor naczelny proponuje nam obojgu wywiad.

Spojrzałam na niego zaskoczona.

– Wywiad, nam obojgu?

– No, wywiad z nami. – Minę miał niewyraźną.

– Przecież postanowiliśmy nie udzielać takich wywiadów. Nasza prywatność to miała być nasza sprawa.

– Masz rację, ale... oni proponują duże pieniądze, są na to fundusze, bo to pierwszy numer. Dostali na rozruch, rozumiesz.

– Jak te wszystkie niemieckie pisemka, które się reklamują w telewizji. Tylko u nas, proszę państwa, Zygmunt Kmita i Aleksandra Polkówna mówią o swoich sprawach łóżkowych. Kup i sam zobacz.

Zygmunt był coraz bardziej zdenerwowany.

– To jest coś lepszego, a poza tym... Już się zgodziłem.

– Mogłeś jednak najpierw mnie zapytać. Ale jak się zgodziłeś, to jakie mamy wyjście?

Przyjrzał mi się uważnie, wydało mu się podejrzane, że tak szybko na to przystałam. A przystałam tylko dlatego, że właśnie byłam na spacerze z jego byłą żoną i czułam się trochę winna, że on nic nie wie. Nic nie wie o naszej komitywie. Gorzko jednak potem swojej zgody żałowałam. Bo ludzie z tego pisma nas poprzebierali, Zygmunta w smoking, mnie w długą wieczorową suknię, do której dodano sznur pereł, podobno prawdziwych. Potem musiałam włożyć czerwony kostium z minispódnicą i wysokie obcasy, a na końcu jeszcze golf i inną spódnicę, do pół łydki. Byłam zmęczona tymi zmianami kreacji i pozowaniem.

– Niech pani obejmie męża za szyję, głowa na jego ramieniu i niech się pani uśmiechnie, tak trochę figlarnie...

Sam się uśmiechnij figlarnie, ośle – myślałam wściekła, ale spełniłam jego życzenie, bo chciałam, żeby Zygmunt dostał te pieniądze. Potrzebował ich na wykończenie domu.

– Naprawdę są takie duże? – spytałam, kiedy ekipa się w końcu wyniosła.

Zdjęcia mieliśmy już za sobą, czekał nas jeszcze wywiad.

– Naprawdę – potwierdził. – Starczy na zrobienie dachu.

– No to się cieszę – skwitowałam całą sprawę.

Rozmowa z dziennikarką była sympatyczniejsza. Mówiłam jej to, co chciałam powiedzieć. Po jej wyjściu zaraz o wszystkim zapomniałam. Śpieszyłam się zresztą do teatru. Po spektaklu miałam pojechać do Elżbiety. Umówiłyśmy się o tej porze z konkretnego powodu. Któregoś dnia spytałam ją, co właściwie robi. Jak wygląda jej dzień, poza próbami oczywiście.

– Jestem na utrzymaniu córki, już ci mówiłam – odrzekła.

– Ale oprócz tego coś się w twoim życiu dzieje?

– Gapię się na gwiazdy.

– Jak to?

– Trzymam na strychu teleskop. Nie masz pojęcia, jakie to pasjonujące. Już sporo wiem... ale chciałabym wiedzieć więcej.

Popatrzyła na mnie.

– Ty sobie wyobrażasz, że wszystko zaczyna się i kończy na teatrze. A jest tyle ciekawych rzeczy. Na przykład astronomia. Czasami potrafię pół nocy spędzić przy teleskopie. Wszystko wraca wtedy na swoje miejsce. Gdyby nie te moje badania, nie wiem, co by się ze mną stało po jego odejściu... A tak wytłumaczyłam sobie, że on i ja jesteśmy drobinkami w kosmosie... jakie więc ma znaczenie, co czuje taka drobinka...

Byłam tak zaskoczona tym wyznaniem, że przez długą chwilę nie wiedziałam, co powiedzieć. Powiedziałam więc chyba coś głupiego.

– Ale nie chciałaś się pogodzić z rozwodem, pisałaś odwołania, tylko było już za późno.

– Nie pisałam żadnych odwołań. I do mnie dotarła ta plotka. Myślisz, że mogłabym być do tego stopnia głupia, żeby chcieć unieważnić prawomocny wyrok?

– Więc to była plotka?

– Jeszcze się nie zdążyłaś przyzwyczaić, że w twoim środowisku plotka zastępuje prawdę? Wszyscy o tym wiedzą, ale wszyscy wierzą, bo jest im tak wygodnie.

A ja uwierzyłam naprawdę – pomyślałam. – Więc to plotka sprowadziła mnie do jej domu...

– Dlaczego tak szybko dałaś mu rozwód?

– Bo tego chciał.

– A ty?

Uśmiechnęła się lekko.

– Chcesz mnie spytać, czy kocham jeszcze Zygmunta? I tak, i nie.

– Zupełnie jak ja – wyrwało mi się.

Spędziłam z nią na strychu wiele godzin. Objaśniała mi gwiezdne konfiguracje.

– Tam, widzisz, na wprost Wielka Niedźwiedzica, a tam Wielki Wóz... Pasjonującą rzeczą jest obserwowanie Księżyca. Wiesz, co to są księżycowe fazy?

– Takie zaćmienia – odrzekłam niepewnie.

– Kiedy jego oświetlona strona jest z Ziemi niedostrzegalna, mówi się, że Księżyc jest w nowiu. Znajduje się wtedy dokładnie pomiędzy Słońcem a Ziemią. I od tej chwili zaczyna się powolne przechodzenie od nowiu do pełni... Kiedyś ci opowiem, jaki wpływ ma pełnia Księżyca na organizm człowieka...

– Wiem, że wilki wtedy wyją...

– Ludzie, zaręczam ci, też.

Kiedy zeszłyśmy na dół, spojrzałam na zegar, dochodziła druga w nocy.

– Ale się zrobiło późno – przeraziłam się. – Muszę wracać. Mogę zadzwonić po taksówkę?

– Lepiej przenocuj u mnie. Zjemy coś i pościelę ci w pokoju na górze.

Spojrzałam na nią ze zdziwieniem, była to bowiem propozycja zaskakująca. A poza tym Zygmunt nie wiedział, co się ze mną dzieje. Nie mogłam go zawiadomić, bo w naszej kawalerce nie było telefonu. Co miało swoje złe i dobre strony. Nie naprzykrzano się nam zbytnio, nikomu nie chciało się jechać taki kawał drogi, kiedy nie było wiadomo, czy jesteśmy w domu, a propozycje nowych ról... mnie można było łapać w teatrze, Zygmunta w różnych miejscach, w których regularnie bywał. Ale teraz zrobił się problem. Nie potrafiłam jej powiedzieć, że nie mogę zostać, bo jej mąż będzie się niepokoił. Ona o tym dobrze wiedziała i być może dlatego postanowiła mnie zatrzymać.

– Nie chciałabym ci robić kłopotu – powiedziałam.

– Będzie mi bardzo miło, jak ze mną zostaniesz.

Nie lubiłam jej w tym momencie, ale nie potrafiłam jej odmówić.

– Wiesz, co to jest deszcz meteorów? – spytała, gdy siedziałyśmy przy kolacji.

– Nie bardzo.

– Spadające gwiazdy to efekt świetlny. Jest to wejście meteorów do atmosfery ziemskiej. Największy taki deszcz zauważono nocą z szesnastego na siedemnastego listopada tysiąc dziewięćset sześćdziesiątego szóstego roku nad Ameryką, dokładnie nad Arizoną...

Patrzyłam na nią.

– Ty chyba naprawdę jesteś astronomem...

– Żałuję, że nim nie zostałam, teraz to tylko zabawa.

– Przecież ty już masz zawód.

– Miłosny – powiedziała i roześmiała się, ale tak nieszczerze.

Ona mnie wcale nie lubi – pomyślałam. – Prowadzi jakąś grę. Może chce wejść pomiędzy mnie a Zygmunta, dlatego mnie zatrzymała? Chyba powinnam upierać się przy swoim i wrócić taksówką. A jak ona się obrazi i nie pojawi się na próbie... Przecież ciągle się bałam, że coś się wydarzy i ona nie przyjdzie.

– To wspaniałe, co mi pokazałaś – odezwałam się, by przerwać milczenie – ale można to obejrzeć raz, drugi, a co potem?

– Jest taki miesięcznik „Problemy", ja do niego pisuję.

– Ale ty jesteś aktorką!

– Już nie. Wróciłam do teatru, bo ci na tym bardzo zależało. Twoja twarz mnie wzrusza... jak tak patrzysz przestraszona. Pomyślałam sobie, że skoro taki ma kaprys, dlaczego nie mam go spełnić.

– Kaprys? – wybuchnęłam. – To twoja życiowa rola.

– Ja tak o tym nie myślę, teatr nie jest pępkiem świata.

– Dla mnie jest.

– A dla mnie nie. Przyjmij to do wiadomości.

Zerwałam się z miejsca.

– Nie zagrałabyś tak tej roli, gdybyś myślała w ten sposób.

– Siadaj. Jeszcze nie zagrałam, jeszcze nie było premiery – rzekła surowo.

Nie zdziwiła mnie jej reakcja, przecież wszyscy aktorzy są przesądni. Ja chyba też, chociaż dużo mniej niż na przykład Zygmunt. Kiedyś przed premierą, gdy szliśmy ulicą, tekst roli wysunął mu się spod pachy i upadł na ziemię. Schyliłam się pierwsza i chciałam mu go podać, a on wyrwał mi skrypt, rzucił na chodnik i zaczął deptać nogami. Pomyślałam, że zwariował. A to był jakiś teatralny przesąd.

Wróciłam do domu około dziesiątej rano, sądząc, że o tej porze Zygmunt będzie już w Szkole Teatralnej.

Ale on na mnie czekał. Miał taką twarz, że się przestraszyłam. Był bardzo blady, pod oczy zakradły się cienie.

– Gdzie byłaś?

– Spytał zazdrosny mąż...

– Ja pytam poważnie.

– A ja poważnie odpowiadam. Byłam u koleżanki.

– U koleżanki na Ursynowie?

Roześmiałam się, ale był to śmiech nieco sztuczny, bo czułam się nie w porządku. Nie sądziłam, że Zygmunt tak się przejmie moją nieobecnością. Nigdy przedtem, co prawda, nie zdarzyło się, żebym nie wróciła na noc.

– Koleżanka na Ursynowie – która nosi spodnie? Mam rację?

– Nie, nie masz racji – odrzekłam zdecydowanie. – Nie na Ursynowie, tylko na Sadybie, i nie koleżanka, ale twoja była żona Elżbieta. Po prostu zasiedziałam się u niej...

Sądziłam, że mi nie uwierzy, a jeżeli już uwierzy, to jakoś to skomentuje, a on powiedział tylko:

– Wolałbym, abyście mnie kochały mniej.

Próba generalna z udziałem publiczności rozpoczęła się co do minuty. Widownia była pełna. Już się rozniosło po mieście, że obsada aktorska w tej sztuce to w życiu prywatnym małżeński trójkąt. W drugim rzędzie wypatrzyłam długą sylwetkę Jałowieckiego. Był zawsze w teatrze, kiedy działo się coś ciekawego. Z pewnością nie przygnały go tu krążące plotki, przyszedł obejrzeć wydarzenie. I z pewnością nie będzie rozczarowany. Mieliśmy na sobie kostiumy i to powodowało, że byliśmy nieco inni niż podczas pierwszych prób. Kostium bardziej określa rolę. Czasami łatwiej jest grać, czasami to przeszkadza. Wydawało mi się, że kostium Armandy dobrze do mnie przylega.

Stały już dekoracje: kulisy teatru Palais Royal. Ciężkie zasłony, zielony afisz z herbami i ornamentem, a na nim wielkimi literami wypisane: Komedianci Księcia Pana, a pod spodem:

Jean-Baptiste Poquelin de Molière – Zygmunt Kmita
Magdalena Béjart – Elżbieta Górniak
Armanda Béjart de Molière – Aleksandra Polkówna.

Scena wyobrażała dwie garderoby oddzielone zasłoną. W pierwszej duże lustro, fotele, kostiumy, w drugiej na ścianie ogromny krucyfiks, przed nim zapalona świeca. Bułhakow napisał w didaskaliach, że to kaganek. I że w pierwszej garderobie pali się mnóstwo łojówek; zaznaczył w nawiasie, że „widocznie nie oszczędza się tu światła". W drugiej garderobie stała na stole latarnia z kolorowego szkła. Tak chciał

Autor i do tego scenograf się zastosował. Bułhakow napisał: *Wszystko naokół – zarówno przedmioty, jak ludzie (oprócz aktora Lagrange) – ma w sobie ton niepokoju i gorączki; dzieje się coś niezwykłego. Lagrange, niebiorący udziału w przedstawieniu, siedzi zadumany w garderobie. Ma na sobie ciemny płaszcz. Jest młody, piękny, dba o powagę. Kolorowa lampa rzuca na jego twarz tajemniczy odblask.* Wszystko się zgadzało: od wielu dni w naszym teatrze panował nastrój niepokoju i gorączki, nie opuszczało nas poczucie, iż dzieje się coś wyjątkowego. Z pewnością za sprawą samej sztuki, ale nie tylko. Pojawienie się Elżbiety nie było tu bez znaczenia. Jej obecność dla nas wszystkich była dopingiem; kiedy pojawiała się wśród nas, zmieniał się nam wyraz twarzy, a nawet głos. Nasze głosy brzmiały jakoś odświętnie, mimo że to były tylko próby. Aktor grający Lagrange'a sprawiał takie wrażenie, jakby przejął jego sposób bycia także poza sceną. Było to nawet zabawne, bo inaczej się poruszał, inaczej mówił. Wyraźnie utożsamiał się z postacią ze sztuki. Zygmunt to nawet złośliwie skomentował: wyższa inteligencja zdominowała niższą. Ale Zygmunt grał w tym przedstawieniu Moliera, a Lagrange w tej sztuce był jego skrybą. I zanim zapadła prawdziwa kurtyna, w swojej klitce usiadł przy pulpicie, obracając latarnię zielonym światłem ku sobie, i zaczął notować, powtarzając głośno:

LAGRANGE: *Siedemnasty lutego. Odbyło się czwarte przedstawienie komedii* Chory z urojenia, *ułożonej przez pana de Molière'a. O dziesiątej wieczór pan de Molière, kreujący rolę Argona, zasłabł i upadł na scenie, wkrótce po czym dosięgła go bez odpuszczenia grzechów nieubłagana śmierć. Na znak żałoby rysuję więc duży czarny krzyż...*

Tu Lagrange zamyśla się i ma przy tym taką ludzką twarz. Co oznacza, że po prostu nasz kolega bardzo dobrze gra.

LAGRANGE: *Jakaż była przyczyna? Jak to ująć, żeby?... Stało się to za przyczyną królewskiej niełaski i czarnej zmowy. Tak właśnie napiszę.*

Ostatnie słowa sztuki.

Nie wolno mi było stać się w niej widzem, ale nie mogłam się wyłączyć, wciąż oczekiwałam wejścia Elżbiety.

Byłam jak rozdwojona. Wypowiadałam swoje kwestie, a przed oczyma migała mi rozogniona twarz studentki Zygmunta.

Molier mówi: *Zdaje się, że porwałem pani kaftan?*

A ta nieszczęsna panna woła: *Boże, jak ja wyglądam...*

I wybiega za kulisy. Kiedy mnie mija, czuję od niej ostry zapach potu. To też teatr. Ona powinna grać Armandę, która ma w tej sztuce siedemnaście lat. Ja już jestem trochę za stara. I to też jest teatr. Wejściu na scenę Magdaleny towarzyszą szepty, skoro ja je słyszę za kulisami, ona musi je słyszeć lepiej, bo jest bliżej widowni.

MOLIER: *Magdaleno, mam tu jedną taką ważną sprawę. Chcę się ożenić.*

MAGDALENA: *Z kim?*

MOLIER: *Z twoją siostrą.*

MAGDALENA: *Błagam cię, powiedz, że żartujesz.*

Na widowni szmer, jakby przeciągłe westchnienie.

MAGDALENA: *Nikt nie wypędza psa, który całe życie pilnował domu. Ale ty to potrafisz. Straszny z ciebie człowiek, boję się ciebie.*

MOLIER: *Nie dręcz mnie. Namiętność mnie opętała.*

Magdalena pada na kolana; podpełza do Moliera.

MAGDALENA: *Ale... Może jednak tego nie uczynisz? Tak jakby tej rozmowy nie było. Co? Wrócimy do domu, pozapalasz świece, ja przyjdę do ciebie. Przeczytasz mi trzeci akt* Świętoszka. *Co? Moim zdaniem to rzecz genialna...*

Jak ona to mówi, ten przypochlebny ton śmiertelnie zranionej, ale mądrej kobiety, która wie, że nie wolno jej tego okazać.

MAGDALENA: *A jeśli potrzebna ci będzie rada, to kto ci poradzi? Przecież to jeszcze dziecko... Czy zdajesz sobie sprawę, jak się postarzałeś, o, skroń już siwa... Ty już lubisz, żeby łóżko było zagrzane. Ja wiem, co ci potrzeba...*

Wyobraź sobie, płonie świeca... Napalimy w kominku, wszystko się dobrze ułoży. A jeżeli... Jeżeli już nie możesz... Przecież ja ciebie znam... Spójrz na pannę Rival... Może niedobra? Co za figura? Co? Ani słowa ode mnie nie usłyszysz...

Boże – myślę – jak to się wszystko miesza z życiem, przecież oni mogli tak rozmawiać, gdy on opuszczał ją dla mnie... Tę Rival gra jego studentka... Nie tak groźna jak ja, bo on jej nie kocha... Dlaczego wcześniej mi to nie przyszło do głowy. Bo on źle grał, a teraz gra wspaniale, to Molier godny Magdaleny. Co mu się stało? Skąd taka przemiana? Przecież nie odmienił go kostium i charakteryzacja. Chociaż... ucharakteryzowany na Sganarela – fioletowy nos z brodawką, na głowie przesadnie wielka peruka i karykaturalny hełm – twarz ma pokrytą szminką, która spływa wraz ze strużkami potu. Bułhakow chciał, żeby jego bohater wyglądał w tym momencie śmiesznie. I tak wygląda, jest śmieszny i tragiczny zarazem.

Właśnie mówi:

MOLIER: *Opamiętaj się. Co ty pleciesz? Co za rolę sobie wybrałaś?*

Ona zrywa się z klęczek, twarz jej wykrzywia wściekłość, wygląda teraz jak jędza.

MAGDALENA: *Z kim tylko chcesz, tylko nie z Armandą! Niech będzie przeklęty ten dzień, kiedy ją przywiozłam do Paryża!*

Znowu to westchnienie przepływające przez widownię, tym razem to podziw dla nich obojga, czuję to. Niedługo moje wejście. Przedstawienie trwa. Zaraz będzie słynna scena spowiedzi. O Boże, żeby tylko nic się nie stało złego, żeby nic jej nie przeszkodziło, jak wtedy ta źle puszczona taśma ze śpiewem dziecka. Ale nic nie może przeszkodzić temu, co się teraz dzieje.

Tyle razy już ją w tym widziałam i za każdym razem jej wielkość wydaje się bardziej niedościgniona.

Kiedy mówi końcową kwestię: *Armando, Armando, siostro moja, chodź tu, sam arcybiskup chce cię pobłogosławić. Szczęśliwa jestem! Co za szczęście!..,* czuję, że po policzkach spływają mi łzy. A jeżeli chodzi o teatr, płaczę tylko, oglądając Łąckiego w *Szalbierzu,* więc może to nie przypadek, że ona tego dnia weszła z powrotem na scenę, kiedy jego z niej zniesiono. Może oni się wymienili, on jej oddał swój geniusz...

Elżbieta jest już obok mnie za kulisami, dotyka mojego policzka.

– Co ty wyprawiasz – szepcze. – Zaraz wychodzisz na scenę!

Popycha mnie lekko. Wchodzę w krąg światła, zbliżam się do konfesjonału, gdzie oczekuje mnie

Charron. Przecież Armanda ma prawo płakać w takim momencie – myślę.

Wtedy, w tej krótkiej chwili za kulisami, kiedy ona zeszła ze sceny, a ja na nią wychodziłam, i kiedy ona mnie na tę scenę wyprawiła, popychając lekko, coś zaszło pomiędzy nią i mną. Myśmy były jednym teatralnym ciałem...

Nie wolno triumfować za wcześnie. Teraz to wiem. Zapamiętam do końca życia. Za kulisami rzuciłam się Zygmuntowi na szyję.

– Jak ty pięknie grałeś!

– Jeszcze nie było premiery.

– Dla mnie już była dzisiaj, nic ponadto w teatrze nie może się wydarzyć.

W jego oczach dostrzegłam strach. Miał ten sam strach w oczach, kiedy Brzeski wszedł do garderoby i powiedział, że Elżbiety nie ma w teatrze i jeżeli nie przyjdzie w ciągu pół godziny, trzeba będzie odwołać premierowe przedstawienie. Wszystko, co się działo potem, pamiętam jak przez mgłę. Tylko jedno zdarzenie zapamiętałam wyraźnie. Przybycie córki Zygmunta, czy raczej ich córki, Zygmunta i Elżbiety. Tak śmiesznie była do nich podobna, pół twarzy jej, pół twarzy jego. Czoło, oprawa oczu, nos matki, usta i broda ojca. Zygmunt krzyczał:

– Gdzie ona jest? Jak mogła zrobić nam coś takiego!

Jego córka skrzywiła się lekko. Była spokojna, wręcz lodowata.

– Nie jestem głucha, nie musisz tak wrzeszczeć – powiedziała. – A poza tym, tato, pomyliły ci się role, ty nie grasz w tej sztuce. Grasz w innej podstarzałego Romea...

Myślałam, że Zygmunt się na nią rzuci, nawet gotowa byłam ją sobą zasłonić, a ona ciągnęła tym samym opanowanym tonem, zwracając się teraz do nas wszystkich obecnych w garderobie:

– Elżbieta Górniak nie zagra. Nie zagra i już. I nie musi się przed wami tłumaczyć.

– Raczej wypadałoby – rzekł Brzeski, ale już nie wykrzykiwał, że jeżeli Elżbieta Górniak nie leży w szpitalnej kostnicy przywieziona z wypadku, to jej dni są policzone. – Nie pamiętam, żeby któryś z moich aktorów zawalił premierę.

– To teraz pan wie, jak to jest, kiedy się komuś zawala życie – odpowiedziała, po czym odwróciła się na pięcie i odeszła.

Nikt jej nie zatrzymywał.

– Czy był ktoś u Elżbiety w domu? – spytał reżyser.

– Zamknięte na cztery spusty – odpowiedziano. – Telefon też głuchy.

Gdzieś z tyłu dobiegł szept, że córka Zygmunta odjechała właśnie najnowszym typem mercedesa. To wszystko robiło wrażenie jakiejś upiornej giełdy. Coś się musiało stać – myślałam. Wydarzyło się coś takiego, że ona nie mogła przyjść, wyręczyła ją córka, która odegrała przed nami zupełnie inny tekst niż ten, z którym wysłała ją matka. Mówiła tak, jakby chciała dopiec ojcu. I udało jej się w stu procentach.

– Ja was ostrzegałem – mówił Zygmunt biały na twarzy. – Bała się konfrontacji z prawdziwą publicznością. Zawsze się tego bała, dławiła ją trema i dlatego przestała grać...

A jeżeli Elżbieta postanowiła się w taki sposób zemścić, jeżeli przyjaźń ze mną cały czas była grą? – chodziło mi po głowie. A może to było wymierzone nie tylko we mnie, ale i w Zygmunta, i jednocześnie w teatr, który ją odtrącił...

– Idę zawiadomić publiczność – powiedział smętnie Brzeski.

Inni też się porozchodzili, zostałam sama w garderobie. Po chwili zjawił się w niej kolega grający Jednookiego i rzucił mi na kolana kolorowy magazyn.

– Może to jest przyczyna – powiedział i odwróciwszy się na pięcie, wyszedł.

Z niejakim zdumieniem zobaczyłam na okładce Zygmunta ubranego w smoking i siebie w długiej czarnej sukni, ze sznurem pereł sięgającym do pasa. Obejmowałam go za szyję, patrząc w obiektyw z uśmiechem. To ten figlarny uśmiech! – olśniło mnie. Na gorsie Zygmunta napis: *Zygmunt Kmita uwielbia swoją drugą żonę w dwójnasób!* Już to mnie źle nastroiło. Odnalazłam wywiad z nami w głębi magazynu. Były tam inne nasze zdjęcia, a na dole maczkiem podpis: *Ubrania wypożyczyły następujące firmy...* Nawet tego nam nie oszczędzono – pomyślałam. Ale nie oszczędzono nam niczego. Zygmunt wyszedł na kabotyna, a ja na kompletną idiotkę, która mówi takie rzeczy: *Trzymam w szufladzie program teatralny z autografami Zygmunta Kmity, Ewy Wiśniewskiej i Janusza Gajosa. Zdobyłam je, kiedy przyjechali na gościnne występy do teatru w naszym mieście, wtedy chodziłam jeszcze do szkoły. A teraz z Ewą Wiśniewską jemy sobie z dzióbków, u Gajosów bywamy na kolacji, a Zygmunt Kmita, wiadomo...* Zygmunt Kmita, wiadomo... Co to za styl. I same kłamstwa, począwszy od tego, że w moim mieście nie było teatru. Ewy Wiśniewskiej prawie nie znam, gra na innej scenie, a Janusz Gajos tak jak my buduje dom i nie urządza wystawnych kolacji. Ale to jeszcze nic. Dalej przeczytałam swoją odpowiedź na pytanie dziennikarki, jakie były reakcje znajomych Zygmunta i jego rodziny na wiadomość o naszym ślubie. *Zaszczuto mnie, bałam się wychodzić sama z teatru, zdarzały się pogróżki i głuche telefony, przychodziły wstrętne ano-*

nimy. Ale mój mąż mówił: „Przeczekajmy, w końcu jej się to znudzi!" I jak zawsze miał rację. Czytając to, czułam, jak wszystko we mnie zamiera, bałam się, że za chwilę stanie mi serce. Po prostu zatrzyma się i nie będzie już nigdy biło. *Dużo pani przeżyła, a mimo to zdecydowała się pani zagrać w* Zmowie świętoszków *wraz z innymi aktorkami. Nie jestem mściwa, zapominam to, co złe, i pamiętam tylko to dobre. Dziękuję za rozmowę.*

Więc tak – myślałam – wytłuścić te słowa: *w końcu jej się to znudzi... wraz z innymi aktorkami...* Jest wszystko, czyli powód, dla którego nie przyszła na premierę. Ja też bym nie przyszła. Nikt na jej miejscu by nie przyszedł... Czy jej córka znała ten wywiad? Jeżeli tak, to jest bardzo dobrą aktorką. Ani jedno słowo nie padło bezpośrednio pod moim adresem. Pominęła mnie, ale też nie zelżyła... Miałam szczęście. I w tym wywiadzie też, przecież równie dobrze te słowa można było włożyć w usta Elżbiety. Pytanie: *Jakie były reakcje znajomych i rodziny na ślub pani byłego męża?* I tu odpowiedź. Dokładnie ta, którą włożono mnie w usta. Z drugą kwestią to samo: *Nie jestem mściwa...* i tak dalej. Byłoby lepiej, gdyby Elżbietę w to ubrano. Ja bym jej przebaczyła. Ona mi nie może, bo w to wierzy. W przeciwnym razie nie odwołano by premiery. Dlaczego redaktorzy magazynu nie wpadli na taki pomysł? Zwierzenia skrzywdzonej żony są równie ciekawe, co zwierzenia jej następczyni. Skoro i tak ktoś ten wywiad napisał, wykreślając skrzętnie z niego większość moich wypowiedzi, to dlaczego nie przytoczono słów trzeciej strony? Przecież chodziło o trójkąt. I tytuł mógłby być lepszy... Na przykład: *Tango dla trojga... Jak się panu tańczy z obiema paniami? Która z nich jest doskonalszą partnerką? A czy nie jest niewygodnie, przecież to taniec dla dwojga tancerzy. Dla dwojga, nie dla trojga... Można się przyzwyczaić* – mógłby odpowiedzieć Zygmunt...

Na korytarzu odezwały się głosy, drgnęłam, jakby mnie ktoś przyłapał, tylko na czym? Na wymyślaniu rzeczywistości... To mi zawsze wytykał Darek, który sam stał twardo na ziemi. Redakcja pisma nie mogła zaprosić Elżbiety do tej rozmowy, nawet gdyby miała to być rozmowa fikcyjna. Bo to my z Zygmuntem wzięliśmy kasę. A nie robi się świństw tym, którym się płaci. Ja przecież wychodzę tutaj na skrzywdzoną niewinność. Sympatia redakcji jest wyraźnie po mojej stronie, tej biednej kobiety, nękanej pogróżkami i anonimami... Zapłacili nam za to. Zygmunt obliczył, że tyle wynosiłaby moja trzyletnia gaża...

Może starczy na wykończenie dachu – pomyślałam z nagłym spokojem – ale ja w tym domu nie będę mieszkała...

Ktoś otworzył drzwi do mojej garderoby. Byle tylko nie on – przemknęło mi przez głowę. – Nie teraz...

Teraz nie chciałam się z nim widzieć. Ale to była ta studentka Zygmunta. Ciągle miała na sobie kostium, ja zresztą też.

– Ludzie opuszczają teatr – powiedziała głosem bliskim histerii.

Miała wypieki i rozszerzone źrenice, jakby jej wpuszczono atropinę.

– A gdzie są koledzy?

– U pana dyrektora w gabinecie, naradzają się, jakie dać zastępstwo...

Więc to prawda, że ona nie zagra Magdaleny – pomyślałam z bólem. Zagra ją ktoś inny...

– Pan dyrektor prosi, żeby pani też przyszła.

– Reżyser – poprawiłam ją.

– Ale to jest też pan dyrektor. – Patrzyła na mnie chorobliwie błyszczącymi oczami.

Odwołanie przedstawienia musiało być dla niej okropnym przeżyciem. To okropne przeżycie dla każdego aktora, a dla mnie... klęska... Jeżeli Elżbieta miała już tutaj nie przyjść... Dlaczego... Jakiś głupi wywiad miał zniweczyć coś, co wspólnie zbudowałyśmy, ja i ona. Tygodnie ciężkiej pracy, morderczego wysiłku i wszystko na nic, bo jakieś pisemko chciało zaistnieć na rynku. Zawsze chodzi o forsę – pomyślałam z odrazą. Uczułam żal, że tak mało miała do mnie zaufania. Przecież powinna mnie już znać i wiedzieć, że nie mogłabym jej świadomie oczernić, wydać tym pismakom. Ale były zdjęcia... dowód rzeczowy. Ja i Zygmunt objęci i szczerzący się do obiektywu, ja w kusej spódniczce przycupnięta na poręczy fotela. Moje nogi na pierwszym planie. A w fotelu oczywiście Zygmunt. Fotel pochodził z epoki Ludwika Filipa i też był wypożyczony, jak nasze stroje. Para wspólników przebrana za parę...

– Idzie pani, pani Olu?

Podniosłam się z krzesła, odkładając magazyn okładką do dołu, żeby nie zauważyła naszego zdjęcia, ale ona rozpromieniła się.

– O, to jest to pismo! Myśmy w szkole wszystkie czytały wywiad z panią i z panem profesorem. Jest fantastyczny, naprawdę, i pan profesor taki przystojny na zdjęciach... najlepiej wyszedł w smokingu, mówiłyśmy, że jest podobny do Seana Connery'ego... z tego filmu o agencie 007. Connery tam też miał smoking i muszkę...

Wyminęłam ją i szybko ruszyłam korytarzem, nie mogła za mną nadążyć. Kiedy weszłam do gabinetu dyrektora, wszyscy na mnie spojrzeli.

– Jest propozycja, aby rolę Magdaleny zagrała... – Brzeski wymienił nazwisko aktorki. – Postaramy się dać premierę za tydzień, próby dwa razy dziennie...

– A jeżeli ona wróci? – spytałam.

– Nie ma tu po co wracać – odrzekł twardo.

Wybiegłam z gabinetu, szybko przebrałam się w garderobie i opuściłam teatr. Postanowiłam pojechać na Ursynów do Darka, to było w tym momencie jedyne miejsce, gdzie mogłam się schronić.

Widząc mnie w drzwiach, przestraszył się.

– Nie jesteś w teatrze? Przecież miałaś dziś premierę.

– Nie było premiery – odrzekłam zupełnie obcym głosem, którego sama nie rozpoznawałam – nie przyszła jedna z aktorek...

I nagle wcisnęłam się w kąt przedpokoju, siadając na podłodze.

– Ona nie przyszła! Ona, Magdalena... – Siedziałam w tym kącie i łkałam. Darek chciał mnie stamtąd wyciągnąć, ale stawiałam opór.

– Uspokój się – przemawiał do mnie. – Człowiek myślący nie może robić głupich rzeczy. A to, co teraz robisz, jest głupie.

– Zawsze tak wszystko wiesz?

– Zawsze.

– Więc nie jesteś człowiekiem.

– Na pewno nie jestem aktorem.

Udało mu się wywlec mnie z kąta, niemal mnie zaniósł do pokoju i rzucił na fotel. Skuliłam się w nim, podciągając kolana pod brodę.

– Masz wódkę? – spytałam.

– Whisky.

– To daj.

Przyniósł mi szklankę napełnioną do połowy.

– Z lodem?

– Bez.

– Upijesz się.

– Właśnie chcę się upić. Po to chcę pić, żeby się upić. Wiem, że to też jest głupie, ale nie mogę inaczej.

Darek skwitował to krzywym uśmiechem.

– A ty? – spytałam.

– Ja nie piję.

– Więc mam pić sama?

– Na to wygląda.

– Mogę zmienić lokal.

– Jak sobie życzysz.

Ubodło mnie, że tak łatwo się na to zgodził.

– Kiedyś byś tego nie powiedział. Kiedyś mnie kochałeś.

– To tekst jakiejś nowej sztuki? – spytał ironicznie.

– Nie, mój własny... niestety, i prawdziwy. Zawsze myślałam, że jeżeli spotka mnie coś strasznego, to... jesteś ty i będę mogła do ciebie przyjść.

– A co się takiego strasznego stało? Że przełożono premierę? To się zdarzało i będzie się zdarzać. Nie można robić tragedii z rzeczy błahych...

Zastanawiałam się, czy naprawdę sobie nie pójść, to już nie był ten chłopak, z którym rozumieliśmy się bez słów, który gotów był tłuc się pociągiem całą noc, aby obejrzeć przedstawienie. Teraz od tych samych teatrów dzieliło go piętnaście minut drogi, a przestał do nich chodzić.

– Przynieś całą butelkę – powiedziałam.

– Chcesz się naprawdę upić?

– A nie wierzyłeś?

– Ale po co?

– Mam swój powód.

Spełnił moją prośbę. Nalałam pełną szklankę i piłam haustami.

– Tak się whisky nie pije – odezwał się, obserwując mnie ze swojego miejsca.

Przy drugiej szklance poczułam, że mi się kręci w głowie. Ciało zrobiło się ociężałe, zupełnie jakbym za chwilę miała zapaść w letarg.

– Ten wywiad... Czytałeś może?

– Tak, okładka mnie zachęciła. Kupiłem i przeczytałem.

– Skoro ty kupiłeś, to ona też.

– Nie widzę związku...

– Wszyscy kupili, więc i ona. *Grać z innymi aktorkami*... jak to sprytnie zostało ujęte, uderzyć tak, żeby nie pozostawić śladów... Zabić i wycofać się na palcach...

Darek zbliżył się i nachylił nad fotelem. Wyglądał niezamierzenie komicznie, taki długi i wygięty w kabłąk.

– Przyszła czapla do żurawia – parsknęłam. – Nie, to żuraw przyszedł do czapli... Jak jest w tym wierszu... *Poszedł żuraw obrażony, trudno, będę żył bez żony*... pamiętasz początek?

– Aleksandro – powiedział, ujmując mnie za rękę. Wyrwałam mu dłoń.

– Nie mów do mnie „Aleksandro", bo zacznę mówić do ciebie „Dariuszu" i będzie ci głupio...

– Chcesz pogadać? – spytał nagle innym tonem.

– Tak.

– To chodźmy do drugiego pokoju.

– Chcę pogadać, a nie pieprzyć się.

Wziął mnie energicznie za ramiona i zmusił do wstania, potem zaprowadził do sypialni i pchnął na łóżko. Przez moment przeraziłam się tego, co chce zrobić, ale on okrył mnie kocem, a sam usiadł obok.

– Mów.

– Klęska – rzekłam, czując, jak wszystko się we mnie trzęsie, byłam bliska płaczu.

– Czyja?

– Właśnie tego nie wiem... i to mnie najbardziej przeraża.

Opowiedziałam mu wszystko po kolei, o mojej wizycie w Filmotece, potem o wizycie u Elżbiety, o pomyśle zagrania w jednej sztuce, w końcu o próbie generalnej...

Zapadła cisza.

– A właściwie dlaczego ty do niej poszłaś, wtedy, pierwszy raz? Nie jest to dla mnie jasne.

– Dla mnie też nie – odrzekłam zgodnie z prawdą. – Często o tym myślałam... może chciałam coś sprawdzić...

– Co, na przykład?

Zastanowiłam się chwilę, duża ilość wypitej whisky sprawiła, że wydawało mi się, iż mój mózg jest rozpulchniony. Takie miałam uczucie.

– Wiesz, w teatrze to tak jest, że jest się młodym, ale pojawia się już ktoś młodszy... stoi ci za plecami. Tak jak w tej sztuce, gdzie Armanda powinna mieć siedemnaście lat... Więc już jestem za stara do tej roli... To znaczy obiektywnie jestem młoda, ale... czas zaczyna być przeciwko mnie, tak jak był przeciwko niej... Może ja poszłam zobaczyć, co czas robi z aktorką... I nie mogłam pogodzić się z jej przegraną, bo to tak, jakbym i ja przegrywała... Rozumiesz? Może ja to wszystko robiłam dla siebie, nie dla niej... Chciałam sobie udowodnić, że nawet jeżeli w przyszłości przegram jako kobieta, to mi to zrekompensuje teatr... Więc chciałam takiej samej rekompensaty dla niej. Walczyłam o to...

– Monolog godny lady Makbet! Też była taka ambitna.

– Potraktuj to poważnie.

– Nie mogę. Nie mogę traktować poważnie obaw młodej, zdolnej aktorki, którą wszyscy chcą angażować, że kiedyś coś jej w życiu nie wyjdzie...

Pokręciłam przecząco głową.

– Ona też była młoda i zdolna. Odniosła sukces w sztuce Mrożka, tak jak ja w Czechowie, miałyśmy podobny start. Ale jej się nie udało... to znaczy, że gdzieś popełniła błąd, nie chcę go powtórzyć. Muszę wiedzieć, na czym polegał...

Teraz Darek pokręcił głową.

– Błędy popełnia się na swój rachunek.

Poczułam, że muszę wyjść do toalety. Usiadłam na łóżku.

– Dokąd się wybierasz? – wystraszył się. W jego oczach był prawdziwy lęk. Więc kiedy na początku chciałam sobie pójść, nie był szczery, tak łatwo na to przystając. Zawsze jest gra. Zawsze.

– Zaraz wracam – odrzekłam, kryjąc uśmiech.

W ubikacji, tak ciasnej, że nie było miejsca na umywalkę, zobaczyłam na podłodze książkę. *Król Lear nie żyje*, wspomnienia ostatniej żony Łąckiego o nim. Dlaczego Darek trzymał ją tutaj? On, fanatycznie uwielbiający aktora.

Wracając, wzięłam książkę ze sobą.

– Dlaczego trzymasz ją w ubikacji?

– Bo tam jej miejsce – odparł.

Patrzyłam na niego zaskoczona.

– To są brednie, obrażanie jego imienia – wybuchnął. – Szkoda, że nie ma u nas zwyczaju palenia wdów na stosie!

Wszyscy jesteśmy pomyleni – pomyślałam, wchodząc pod koc.

– Muszę wiedzieć, dlaczego nie doszło do premiery – wróciłam do naszej rozmowy. – Muszę...

– Dlaczego musisz?

– Ostatni występ Elżbiety to było naprawdę święto teatru. Jej wielkość ją natchnęła...

Cisza. A po chwili słyszę:

– Mówisz o wielkości jakiejś kobiecinki, która chce się odegrać na mężusiu?

– Zwariowałeś!

Usiadłam na łóżku, podciągając kolana.

– Jej wielkość może istnieć tylko w twojej głowie. Bo czy inni też ją potwierdzili? Czy usłyszałaś jakąś ocenę jej gry, od reżysera chociażby?

– Wystarczyło mi to, co widziałam na własne oczy.

Darek roześmiał się.

– Widzi się to, co się chce widzieć. Ja bym poczekał, aż potwierdzą to inni.

– To się nie doczekasz. Magdalena zeszła ze sceny na zawsze.

– Nie Magdalena, tylko aktorka, która ją grała – odrzekł, podnosząc głos. – Przestań mieszać życie ze sztuką, bo się to dla ciebie źle skończy. Nie wolno, ro-zumiesz!

– Irina miała rację – westchnęłam.

– Jaka Irina?

– Irina. Byłeś najmądrzejszy, ale już nie jesteś. Jak mąż Maszy.

– Jakiej Maszy?

– Maszy.

Opadłam z powrotem na plecy, czułam się coraz bar-dziej ociężała, powieki same mi się zamykały i chyba zasnęłam, bo już nie pamiętam niczego z naszej roz-mowy. Obudził mnie ostry dzwonek do drzwi. Byłam sama w sypialni, nie paliło się też światło.

Rozpoznałam głos Zygmunta:

– Pora jest późna, ale przyszedłem sprawdzić, czy nie ma tu przypadkiem mojej żony?

– Śpi – odrzekł krótko Darek.

– Z panem?

– Nie, z panem. U mnie szuka pomocy.

Usłyszałam szamotaninę i przeraziłam się na do-bre.

Szybko zsunęłam się z łóżka i wyszłam do przed-pokoju. Obaj spojrzeli na mnie. Mój mąż miał roz-wichrzone włosy, odgarnął je z czoła.

– Zygmunt, ja już idę – powiedziałam, sięgając po płaszcz.

Pomagał mi go włożyć, a Darek stał i obserwował nas bez słowa. Kiedy schodziliśmy po schodach, poprosiłam:

– Zygmunt, nie graj już w żadnych głupich serialach.

– Dobrze – zgodził się od razu.

Zaczęły się próby z aktorką, która miała zastąpić Magdalenę. Tak właśnie cały czas myślałam, że ona pojawia się na scenie w zastępstwie Magdaleny, więc i ja też tam byłam w zastępstwie Armandy.

W związku z tym brałam na siebie podwójnie trudną rolę: musiałam przekonać widza, że jestem bohaterką ze sztuki Bułhakowa, i musiałam przekonać o tym samą siebie, co wcale nie było proste, a nawet – docierało to do mnie z całym okrucieństwem w czasie prób – wręcz niemożliwe. Pamiętałam tekst, wypowiadałam go. To wszystko. Przypominałam sobie swoją mimikę z tamtych prób, kiedy byłam Armandą – drgnięcie policzka, uniesienie brwi, uśmiech – i odtwarzałam najwierniej, jak potrafiłam, można powiedzieć, że małpowałam samą siebie, chyba nawet zręcznie, bo reżyser nie miał żadnych uwag. Okazało się, że trzymając się poprzedniej koncepcji własnej roli, potrafiłam tak doskonale siebie naśladować, by oszukać innych. Ale ja sama nie miałam złudzeń. Czułam, że stało się coś nieodwracalnego, że to światło, które cały czas było we mnie i którym potrafiłam natchnąć kreowane przez siebie role, zgasło. Przedtem wszystko wydawało się takie proste, każde nowe zadanie aktorskie było jak szyta na miarę sukienka; czułam, wiedziałam, że po odpowiednich poprawkach będzie pasowała na mnie jak ulał. Pełno miałam takich sfastrygowanych ubrań w szafie, teraz szafa była pusta. Na razie tylko ja o tym wiedziałam. Ale co będzie dalej... Co będzie z nową rolą? Z rolą Małgorzaty, na którą tak bardzo się cieszyłam. Postanowiłam udowodnić Zygmuntowi, że wcale nie jestem do niej za młoda, traktowałam to jak wyzwanie. Wtedy. Teraz gotowa byłam się z nim zgodzić, zasłonić się jego stwierdzeniem. Dlaczego nie mogę zagrać ukochanej Mistrza? Ale przyjdą inne propozycje. Co wtedy... Zaczynałam się bać wejścia na scenę. Pierwszy taki przebłysk, jakby przeczucie klęski, miałam w dniu, w którym Elżbieta pojawiła się w teatrze. Czy to, co się teraz działo ze mną, miało z nią jakiś związek? Czy to ona, znikając tak nagle, zabrała ze sobą to moje wewnętrzne światło, czy to szok po odwołanej premierze tak mnie odmienił? Przywarłam całą sobą do Armandy i nie mogłam się już od niej uwolnić. W jakiś sposób doświadczałam tego i wcześniej, na przykład przy roli Iriny, ale światła na scenie gasły i z wolna moja twarz, moje dłonie, moje nogi znowu zaczynały należeć do mnie, a co ważniejsze, odzyskiwałam na własność także swoją duszę. Tym razem jednak światła rampy nie chciały zgasnąć wraz z końcem przedstawienia, cały czas paliły się pełnym blaskiem. Armanda stała w kulisie i oczekiwała wejścia na scenę Magdaleny. Magdalena powinna wypowiedzieć do końca swoją kwestię: *Armando, Armando, siostro moja, chodź tu, sam arcybiskup chce cię pobłogosławić. Szczęśliwa jestem! Co za szczęście!* I wtedy Magdalena znika ze sceny na zawsze, wchodzi na nią Armanda. Charron pyta: *Odpowiadaj, czy wiesz, kto przed chwilą mówił ze mną?* Armanda nagle wszystko rozumie, jej twarz ściąga przerażenie: *Nie, nie... to tylko moja siostra...* I gdybym mogła te słowa wypowiedzieć na premierze, ostatnie słowa roli Armandy, być może, a nawet na pewno, nie miałabym teraz tych wszystkich problemów. Rola odeszłaby jak inne. Ale to była rola niezagrana, więc Armanda cały czas stała w kulisie, czekając na swoje wejście, kiedy ja zastępowałam ją w scenie spowiedzi Magdaleny z aktorką, która zastępowała Magdalenę... Tak bardzo bałam się przegranej, tego momentu, kiedy się to sobie uświadamia i kiedy się już wie, że nic nie można zrobić. Nie zapalą się światła na widowni, bo to wszystko działo się naprawdę. A dużo gorsze było to, że nie chciały zgasnąć światła oświetlające scenę... I nie wiedziałam w dodatku, dlaczego tak jest. Przecież talentu nie traci się z dnia na dzień, niemal z godziny na godzinę. Nie można być gwiazdą jednego dnia, a następnego już nie. A może można, tylko ja o tym nie wiedziałam i teraz miałam okazję się przekonać. Na własnej skórze. Moja skóra... oddałam ją tamtej Armandzie, a ona nie chciała mi jej zwrócić. Może więc jedynym ratunkiem było odszukać tamtą Magdalenę. Ale to też wydawało się trudne, wręcz nieosiągalne.

To, co się teraz ze mną dzieje, czym jest? Antraktem czy zakończeniem? Jeżeli zakończeniem, jak je określić, jako szczęśliwe czy nieszczęśliwe? To zależy, do czego dojdę. Ja sama. Bo tylko ja mogę postawić plus albo minus, oceniając swoje życie. Gdyby to było zakończenie, jaki bym postawiła znak? Jeszcze nie wiem... Uciekłam zbyt gwałtownie ze swojej drogi, aby móc ją w pełni zobaczyć. Ale moja droga to teatr... a w teatrze ocena należy do innych. Aktor gra, publiczność bije brawo. Czy ja zostałam wyklaskana? To mi się często śniło. Wchodzę na scenę, a widownia klaszcze, nie dopuszczając mnie do głosu. Nie chcą mnie słuchać. Najgorsze, co się może w teatrze przydarzyć. No i jeszcze odwołanie premiery...

Telefon Elżbiety nie odpowiadał, nic nie dało też wystawanie pod jej domem. Pewnego dnia sterczałam tam aż do późnego popołudnia, kiedy musiałam iść do teatru. To znaczy odchodziłam i wracałam, żeby nie ściągać na siebie uwagi. Wreszcie zadzwoniłam do jej córki i poprosiłam o spotkanie. Zgodziła się podejrzanie chętnie. Postanowiłam mieć się na baczności, miałam spotkać się przecież z kimś, łagodnie mówiąc, mało mi życzliwym. Umówiłyśmy się w kawiarni nie opodal jej firmy, bo córka Zygmunta była osobą bardzo zajętą, a poza tym to ja dążyłam do tego spotkania. Usiadła obok mnie przy stoliku i wyciągnęła papierosy, chciała mnie poczęstować, ale odmówiłam. Nie palę.

– I ja powinnam przestać, już mam przepalone gardło, ale kiedy jestem zmęczona, to nogi na stół i zapalam papieroska...

Jak prawdziwa bizneswoman – pomyślałam.

– Chciała pani ze mną porozmawiać o mojej mamie czy o ojcu? – spytała wprost. – Jeżeli o nim, to zastrzegam, wiem niewiele. Nie bywał w domu... Jedno, czego się ostatnio dowiedziałam, to że mam tatę pedofila.

Ale niewyparzony język! – przemknęło mi przez myśl. Jak z niej cokolwiek wyciągnąć...

– A co pani powie o obiekcie tego pedofilstwa? Roześmiała się.

– Nie wiem. Nie znam. Ale współczuję.

– To jest aż tak źle?

– Wie pani, z tego, co matka opowiadała, ojciec spaprał swoje zawodowe życie przez ambicję, żeby do-

145

równać Łąckiemu. Można powiedzieć, że Łącki był stałym lokatorem w naszym domu. Oglądało się jego role, omawiało się je i znowu oglądało. A od czasu premiery *Amadeusza*, gdzie Łącki zagrał Salieriego, wie pani, to słynne przedstawienie właśnie z Łąckim i Romanem Polańskim w roli Mozarta, ojciec był po prostu chory i chyba do tej pory nie wyzdrowiał...

Byłam na tym przedstawieniu, byliśmy razem z Darkiem. Po nocy spędzonej w pociągu, brudni, niewyspani, zjawiliśmy się w Teatrze Na Woli. Oczywiście nie było biletów, ale udało nam się zdobyć wejściówki. Oglądałam ten spektakl jako młodziutka dziewczyna, licealistka, która marzy o teatrze, a Zygmunt wtedy już w nim istniał. I mógł zachorować. Każdy aktor mógł zachorować po tym, czego był świadkiem na scenie. Łącki grał Salieriego młodzieńca i Salieriego starca i do tej przemiany potrzebował kilku zaledwie ruchów, na przykład odgarniał włosy niechlujnie opadające na czoło, jego twarz młodniała, znikały z niej zmarszczki...

– Ojciec zrozumiał, że nie wystarczy pobyć obok Mistrza albo z nim zagrać – ciągnęła córka Zygmunta. – Zawsze się będzie tylko sobą... A jak się nie umie być tylko sobą, to się niedomaga, a jak się niedomaga, to się potrzebuje pielęgniarki. Ostatnio wymienił starszą na młodszą, bo sobie wyobraża, że się będzie nim lepiej opiekowała.

Nie przejęłabym się tak tym gadaniem, gdyby nie to, że Zygmunt powiedział mi, iż pracuje nad scenariuszem filmu o Łąckim. I to nie miał być dokument, ale film z aktorami i fabułą.

– A kto zagra Łąckiego?

– Ja – odrzekł.

Przestraszyłam się. Nawet nie znając scenariusza, rozumiałam, że Zygmunt nie może zagrać Łąckiego, bo to tak jakby Gary Cooper chciał się wcielić w dzwonnika z Notre Dame. Oczywiście charakteryzacją można zdziałać wiele, ale mężczyzna o dwóch metrach wzrostu nie zagra w żadnym razie karła. Ani odwrotnie. Nie odda jego psychiki. Zygmunt nie udźwignąłby ciężaru tej roli, ona by go złamała. Wiedziałam to już wtedy, zanim jego córka dopowiedziała mi kilka istotnych szczegółów. Te szczegóły mogły zbić z nóg. Była bezlitosna.

– Tylko jako urzędnik ojciec może prześcignąć Mistrza. Słyszałam, że ma zostać rektorem...

Po chwili rozumiałam, dlaczego to wszystko mówi, mówiła po to, abym nie miała możliwości zapytać o matkę. Po prostu na takie pytanie zabrakło w naszej rozmowie miejsca.

Zniknięcie Elżbiety, niemożność kontaktu z nią pogłębiało we mnie uczucie wewnętrznego chaosu i niepewności. Jak mogłam zrozumieć swoich bohaterów, skoro przestawałam rozumieć siebie? Próby do *Zmowy świętoszków* odbywały się teraz dwa razy dziennie, tak jak zapowiedział reżyser tamtego fatalnego dnia. Za każdym razem, kiedy wchodziłam do teatru, pojawiała się we mnie nadzieja, że być może tym razem Armanda zechce ze mną współpracować, ona jednak cały czas się dąsała. Stała w kulisach i za nic nie chciała wejść na scenę.

Może próba generalna coś odmieni... Może coś odmieni premiera – pocieszałam się. Ale nie było w tym wiele nadziei. I jak się okazało, słusznie: ani w czasie ostatniej próby, ani podczas premierowego przedstawienia Armanda nie raczyła się ruszyć zza kulis. Zostawiła mnie samą, a ja paplałam jej tekst z coraz większym przerażeniem w sercu... Nie pomyliłam się ani razu, nie przewróciłam się ani nie potknęłam, doprowadziłam to zastępstwo do końca...

Reżyser, który zaproponował mi rolę Małgorzaty w *Mistrzu i Małgorzacie*, nalegał, abym się wreszcie zdecydowała. A jak się mogłam zdecydować, skoro nie wiedziałam, co się ze mną dzieje. I skąd się bierze ta wewnętrzna niemoc.

– Pani Olu – był już lekko zniecierpliwiony. – Nie jest pani jedyną aktorką w tym kraju.

– Teraz mam na głowie Armandę – powiedziałam tonem usprawiedliwienia, bo nic innego nie przyszło mi na myśl, ale gdyby biedak wiedział, jak bardzo mam ją na głowie, być może uciekłby z krzykiem.

Próbowałam o swoich problemach rozmawiać z Zygmuntem. Chciałam mu powiedzieć, że boję się, iż zacznę się jąkać także i w teatrze. On to zbagatelizował. Stwierdził, że aktorzy miewają często gorszą formę, szczególnie kiedy są przemęczeni, i że nie należy się tym przejmować. To potem mija. Może to naprawdę przemęczenie, pomyślałam, i może naprawdę minie. W głębi duszy jednak czułam inaczej. Lęk, który będzie dalej narastał. Jeszcze nikt się nie domyśla, ale się niebawem dowiedzą. Że nie potrafię niczego zbudować na scenie, że się moja nowa rola po prostu rozpadnie. Jedna, a potem druga. Fanfary zapowiedziały moje wejście na scenę, odegrają teraz moje zejście. Miał rację Jałowiecki, ostrzegając mnie, że z teatralnego nieba do piekła droga bardzo bliska. Byłam już w przedsionku tego drugiego.

Wszystko wskazywało na to, że Elżbiety nie ma w Warszawie. Niby przypadkiem przejeżdżałam w okolicach jej domu, a zdarzało mi się to dosyć często, gdyż dostałam od Zygmunta w prezencie urodzinowym cinquecento i nie musiałam już zamawiać taksówki. Przedtem kazałam taksówkarzowi zwalniać, abym mogła sprawdzić, czy nie pali się światło w którymś z jej okien, a potem zawracać w stronę miasta.

To się musiało wydawać dziwne, więc taksówkarze w drodze powrotnej spoglądali na mnie spod oka. Raz nawet odważyłam się zadzwonić do furtki obok. Otworzył mi starszy, szpakowaty pan. Kiedy spytałam, czy mogłabym zostawić wiadomość dla jego sąsiadki, odparł, iż wyjechała prawdopodobnie na dłużej i domem opiekuje się córka. Był gotów podać mi telefon do „pani Ewuni". „Czy pani panią Ewunię zna?" „Niezbyt dobrze" – odparłam wymijająco.

Więc wyjechała. Dokąd i na jak długo? Te pytania pozostawały bez odpowiedzi. Starałam się wysondować, czy Zygmunt czegoś na ten temat nie wie, ale krępowałam się spytać go wprost, a on wyraźnie unikał tego tematu. W końcu jednak się odważyłam.

– Gdzie ona jest, wie tylko ona i Pan Bóg – odrzekł niechętnie.

– A wasza córka?

– Nie „wasza" córka, tylko jej córka! I to był koniec rozmowy.

Zastanawiałam się, kim tak naprawdę Elżbieta była dla mnie. Z pewnością nie wybrałam się do niej, żeby się z nią zaprzyjaźnić. To byłoby wręcz śmieszne, młoda żona idzie do tej starej i wyciąga rękę do zgody. Może wyciągnęłam rękę, tyle że po pomoc... Dręczona dziwnym poczuciem winy nie radziłam sobie ze swoim małżeństwem, czułam się coraz bardziej zagubiona, więc zwróciłam się do niej, szukając aprobaty, może nawet przebaczenia... Z pewnością to było naiwne, ale ja przecież mam skłonność do mieszania fikcji z rzeczywistością. I to do tego stopnia, że rzeczywistość stawała się czymś o wiele mniej istotnym. Doszło do tego, że na scenie utożsamiałam się z rolą, którą grała Elżbieta, zapamiętałam cały jej tekst i razem z nią powtarzałam go w myślach.

Zaczęłam się utożsamiać z nią także poza sceną i było tak, jakbyśmy stawały się nie tylko jednym ciałem teatralnym, lecz także fizycznym. Tak właśnie czułam, że jesteśmy ze sobą zrośnięte, zupełnie jakby z jednego ciała wyrastały dwie głowy, moja i jej, takie siostry syjamskie, które mogłyby mieć nawet wspólnego męża. Usiłowałam więc stworzyć jakiegoś mutanta, a takie istoty nie żyją długo. Giną. Teraz ja ginęłam wraz z nim... Możliwe, że doszłam do skraju szaleństwa i to, co powiedział Darek o mojej ocenie jej gry, było tego potwierdzeniem. Może zwykli widzowie widzieli to inaczej. Ale czy to miało teraz jakiekolwiek znaczenie? Teraz już nie o nią chodziło, tylko o mnie. O to, co się stanie dalej z moją karierą. Kim będę, skoro nie potrafię już grać?

Któregoś dnia, niedługo po tej drugiej, jak ją nazywałam, „zastępczej" premierze, w teatralnym bufecie dosiadł się do mnie Jałowiecki.

– Panie Adamie, był pan wtedy na próbie generalnej, widziałam pana, w drugim rzędzie...

– Byłem na niejednej próbie generalnej, niestety – westchnął, dając mi do zrozumienia, że obecny repertuar, jak i poziom jego wykonania go nie zachwyca.

– Mówię o próbie przed premierą, która się nie odbyła.

– Aha.

– Jakie wrażenie zrobiła na panu gra Elżbiety Górniak? – spytałam, bo trudno mi było pytać o siebie.

Uniósł znacząco brwi.

– No, jeśli mam być szczery, większym zaskoczeniem był dla mnie wasz partner. Jego koncepcja roli była ciekawa...

– Ale ona...

– Ma fatalną dykcję, to przeszkadza w odbiorze, w sensie wizualnym nie mam jej nic do zarzucenia. Ale gwiazdą przedstawienia była jak zawsze pani. Kiedy pani mówi: *Nie, nie, to tylko moja siostra!*, jest w tym wszystko, co powinno być w teatrze – talent, głębia, prawda! Noszę jeszcze w sobie tamto wrażenie, była pani olśniewająca. To po Irinie w *Trzech siostrach* najlepsza pani rola...

– Ale w zmienionej obsadzie było gorzej, prawda?

– Jeśli mam być szczery, tak. Widocznie już się pani wtedy wygrała. Trudno to potem powtórzyć.

O to chodzi, że się wtedy nie wygrałam – pomyślałam – w tym cała tragedia. I nie umiem tego rozwiązać. Potrafię tylko istnieć na scenie w sensie wizualnym, jak to ujął krytyk. A wewnątrz wszystko jest jakby zamknięte na klucz. Jak mam go odnaleźć? Skoro nie wiem, kto go przekręcił, czy przypadkiem nie ja sama. Jak sobie pomóc? W końcu postanowiłam zerwać z tym zastępstwem, wycofać się z niego, może wtedy wszystko wróci na miejsce. Postarałam się o zwolnienie lekarskie, jestem w końcu aktorką, odegrałam więc atak ischiasu. Okazało się jednak, że siedzenie w domu wcale mi dobrze nie zrobiło. Wytrzymałam trzy dni. Próbowałam nawet przymierzyć się do roli Małgorzaty. Ale to ciągle była Armanda...

Udręczona do granic wytrzymałości wsiadłam w samochód i pojechałam na Ursynów. To było jak ucieczka od obecnego życia. Jakbym chciała przeskoczyć to, co się stało za trudne, powrócić do początku. Za moment zapalą się światła na scenie i wejdę w nie jako Irina... Irina, nie Armanda...

Darek przywitał mnie dość chłodno, ale liczyłam się z tym. Bez zbędnych słów poszłam do sypialni i zaczęłam się rozbierać.

– Co ty wyprawiasz? – spytał.

– Chcę się z tobą kochać.

Roześmiał się jakoś tak nieprzyjemnie.

– A co będzie, jak się tu zjawi mężuś? I spyta, czy ze sobą śpimy? Co wtedy?

– Darek – rzekłam pokornie. – Potrzebuję cię...

– Mnie czy mojego fiuta?

– Nie bądź wulgarny.

Znowu się roześmiał.

– To ty jesteś wulgarna. Zjawiasz się tu, kiedy jest ci wygodnie. A kiedy jest ci wygodnie, wychodzisz. Sama lub w towarzystwie.

Usiadłam na łóżku, podciągając kołdrę pod brodę, trzęsłam się, zęby mi szczękały.

– Co ci jest? – spytał już innym tonem.

– Chcę, żebyś mnie przytulił – odrzekłam głosem upartego dziecka.

Zdjął ubranie i wsunął się pod przykrycie. Poczułam blisko jego ciało, to już nie był tamten kanciasty chłopak, któremu zawadzały za długie nogi i ręce, lecz wspaniale umięśniony, szeroki w barach mężczyzna. Pomyślałam, że jedyne, co mnie teraz obchodzi, to właśnie jego ciało. Że go pożądam. I chcę, żeby on pożądał mnie. Kochaliśmy się w uniesieniu, na wpół przytomni, odurzeni własną bliskością. Od wielu dni i nocy po raz pierwszy poczułam się nareszcie sobą, jakby nikt mnie przedtem nie wypożyczył, nie chcąc potem zwrócić. Odzyskiwałam swoje życie osobiste, mogłam oddychać jako ja, odczuwać rozkosz, śmiać się i płakać. I robiłam to na przemian. Śmia-

łam się i płakałam. Darek spoglądał na mnie z niepokojem.

– Nie patrz tak – rzekłam, ocierając łzy. – Płaczę,
bo czuję się wolna! Nareszcie wolna! I dlatego się
śmieję. Ze szczęścia!

Darek to inaczej, niestety, zrozumiał.

– Odeszłaś od niego?

Jego pytanie mnie zaskoczyło, zbiło z tropu.

– N... nie...

– Ale odejdziesz? Teraz – to „teraz" szczególnie
podkreślił.

– Nie chcę o tym myśleć – odrzekłam zgodnie
z prawdą. – Ostatnio miałam bardzo ciężki okres...
Nie szła mi praca...

– I pomyślałaś, że na to dobry jest seks?

O Boże, jak oni nic nie rozumieją – coś westchnę-
ło we mnie.

Wstałam i zaczęłam się ubierać. Przyglądał się
temu bez słowa, ale w przedpokoju powiedział:

– Jeżeli teraz stąd wyjdziesz, to już cię nigdy nie
wpuszczę.

Uśmiechnęłam się.

– I po co to mówisz? Oboje wiemy, że mnie nie
przestałeś kochać i że mnie wpuścisz za każdym razem, kiedy się pojawię...

Uderzył mnie w twarz; mimo to, zanim wyszłam,
dokończyłam:

– I ja ciebie nie przestałam kochać... tak ze wszystkim...

Zbiegałam po schodach, śpieszyłam się. Można powiedzieć, że pędziłam do nowej roli, którą, byłam pewna, teraz potrafię zagrać. Ta rola czekała na mnie. Manuskrypt leżał w kawalerce na stoliku, obok niezasłanego łóżka, w takim pośpiechu stamtąd uciekałam. Teraz też uciekałam, tyle że z powrotem. Te dwa moje życia nie mogły się przecież ze sobą spotkać, były jak dwie elektrody oznaczone plusem i minusem. Tylko na której z nich był minus? Jadąc do domu, nabierałam coraz większej pewności, że znak ujemny znajdował się po stronie Darka. Kiedy jednak wzięłam wreszcie manuskrypt do ręki i nie byłam w stanie odczytać jednego zdania głosem Małgorzaty, bo psychicznie wciąż czułam się uwikłana w zastępstwo za Armandę, pomyślałam, że dzień, w którym poznałam Zygmunta, a potem dzień, w którym poznałam jego żonę, to czarne dni mojego życia. No tak, ale dzień, w którym go poznałam, był dla mnie pierwszym zetknięciem się ze Szkołą. Więc może wybrałam po prostu zły zawód. A może to znowu Darek miał rację: za wcześnie stanęłam na deskach teatru i teraz byłam jak nowicjusz, któremu kazano zaprojektować skomplikowaną konstrukcję mostu, a on się tego nie zdążył nauczyć. Cóż dziwnego, że most się właśnie zawalał...

Zadzwonił telefon, który mieliśmy dopiero od kilku dni, po naleganiach Zygmunta właścicielce mieszkania udało się go wreszcie załatwić. Nie byłam na to przygotowana. Nie byłam w nastroju do rozmowy, bez względu na to, kto się ukrywał po drugiej stronie linii. Oczywiście telefonowała ostatnia osoba, z którą miałabym ochotę teraz mówić. Przyszły reżyser adaptacji *Mistrza i Małgorzaty*.

– Pani Olu – usłyszałam. – Mam nadzieję, że się pani wychorowała, bo od poniedziałku zaczynamy próby.

Czy ja się już zgodziłam? – przebiegło mi przez myśl. – Musiałam się zgodzić, skoro on tak mówi.

– Troszkę jeszcze jestem chora – odrzekłam ostrożnie.

– No, ale do poniedziałku mamy przecież kilka dni.

– Na szczęście – moja odpowiedź tym razem nie mijała się z prawdą.

Może przez te kilka dni coś się zmieni, może uda mi się wreszcie wyjść z kręgu poprzedniej roli. A może obarczyć tym Zygmunta? Jako mój nauczyciel powinien mnie był uprzedzić, że takie rzeczy też się w teatrze mogą zdarzyć, i powinien mnie był nauczyć, jak się przed tym bronić. A czy on sam potrafił się obronić, czy w porę uruchomił swój hamulec bezpieczeństwa? Ta sprawa z Łąckim... Przychodzi do mnie i odczytuje mi fragmenty scenariusza, który wreszcie skończył. Nie ma pewności, czy go słyszę, mimo to czyta na głos stronę po stronie, bardziej chyba dla siebie niż dla mnie...

Noc. Noc w teatrze. Na scenie Aktor powtarza tekst, sam siebie poprawia, żywo gestykulując, zupełnie jakby rozmawiał z cieniem. Nagle zapalają się światła. Aktor mruży oczy, jest wyraźnie przerażony... Wygląd ma dość niechlujny, czarny golf, długie, przerzedzone, dawno niemyte włosy, trzydniowy zarost...

GŁOS Z MEGAFONU: *Kim pan jest? Kim się pan czuje? Czy jako członek Komitetu Centralnego czuł się pan komunistą, czy to była tylko taka gra? A jeżeli to była gra, z kim pan grał i co pan chciał wygrać? A może w grę wchodziły pieniądze?*

Ktoś się teraz śmieje, Aktor rozgląda się, poszukuje źródła śmiechu, na twarzy panika...

Jak ty zagrasz tę panikę – myślę. – Tylko on mógłby to zagrać. Łącki mógłby zagrać Łąckiego, ale już tego nie uczyni. Więc po co te starania? Scenariusz jest dobry, szkoda, że nie ma aktora, który by zagrał główną rolę. Aktor, o którym myśli scenarzysta, się nie nadaje! Te długie, niechlujnie opadające na ramiona włosy miałyby być peruką? Zarost mógłby być własny. A czarny golf? Czyj będzie ten golf?

Jak miałam o tym powiedzieć Zygmuntowi? Że nie mogę pozbyć się Armandy, że mam ją stale na karku?

Przecież to wyglądało na początek choroby psychicznej. A może tak było w istocie... Ta myśl tak mnie przeraziła, że poczułam zimny pot na czole. Tylko nie to... Chyba jednak nie, bo ludzie psychicznie chorzy nie zdają sobie sprawy ze swojego stanu, a ja gotowa byłam roztrząsać wszystkie symptomy choroby, która była raczej jakąś chorobą teatralną. Być może zapadali na nią także inni aktorzy, tylko się z tym nie zdradzali. W końcu nie było się czym chwalić. Papier zdominował żywego człowieka, stworzona piórem dramaturga postać dyktowała mi teraz warunki i oczekiwała mojej kapitulacji. Nie była to całkiem wymyślona osoba, Armanda istniała naprawdę i nawet w utworach tego samego pisarza trochę inaczej przebiegał jej los. W sztuce opuszcza Moliera, w powieści jest przy nim do końca. A jak było w życiu, nie wiadomo. Co naprawdę czuła, myślała. Związana ze starym człowiekiem, sama taka młoda, niemal dziecko... Czym są związki starszych mężczyzn z młodymi kobietami... Elżbieta powiedziała pogardliwie: „To potrzeba młodych hormonów. Im się wydaje, że powstrzymają w ten sposób starość i śmierć". Opowiedziała mi o wizycie u znanego, bardzo modnego w czasach jej młodości dramaturga. Teraz jego sztuki zostały niemal zapomniane, ale długo królowały na scenach. Wybrali się do niego oboje z Zygmuntem, wtedy jeszcze jako studenci Szkoły Teatralnej. To były chyba urodziny pisarza. Mieszkał pod Warszawą, w modrzewiowym dworku należącym do jego rodziny. Kiedy umarła jego wieloletnia towarzyszka życia, poznał młodszą o dwadzieścia lat kobietę. Ożenił się z nią, a ona zamieniła ich wspólne życie w piekło.

– Dlatego, że była młodsza? – spytałam naiwnie.

– Nie, okazała się wariatką.

Czy tak samo myślisz o mnie? – przyszło mi do głowy, a ona to odgadła, bo uśmiechnęła się i powiedziała:

– Nie, o tobie tak nie myślę. O tobie myślę, że jesteś trochę szalona, ale to coś zupełnie innego.

Wtedy weszli z Zygmuntem z sieni wprost do dużego, mrocznego salonu, który był prawie pusty. Pod ścianą na ławie siedział pisarz, wyglądał na ciężko chorego człowieka i chyba był nim naprawdę. Jego żona, przedziwna, wyzywająco ubrana. Obcisła bluzka uwidaczniała zarys piersi, do tego kusa, za kusa spódnica. Było w tym coś gorszącego. I tak się uwijała po tym wnętrzu, za szybko mówiła, nerwowo wymachiwała rękami.

Nie pasowała ani do tego dworku, ani do tego człowieka.

– Ale była młoda – rzekłam.

– Nawet nie taka młoda, bo kiedy się pobierali, miała pięćdziesiąt pięć lat, czyli była o rok starsza ode mnie.

– Co? – zdumiałam się. – To ile lat miał on?

– Siedemdziesiąt pięć, jak łatwo policzyć.

– Więc dlaczego?

Wzruszyła ramionami.

– Zygmunt też o to zapytał, jak stamtąd wyszliśmy... Mogłabym mu udzielić na to odpowiedzi, czy raczej mógłby mu udzielić jej sam pisarz, bo jakiś czas po mojej rozmowie z Elżbietą warszawska popołudniówka zamieściła wspomnienie o nim. Opublikowano też fragmenty jego listów, między innymi do ostatniej żony, która zresztą przyczyniła się do jego śmierci, odmawiając podawania mu lekarstw, a potem do śmierci domu – podpalając go. Sama skończyła w zakładzie dla obłąkanych. Oto historia godna pióra Bułhakowa, gdyby o niej wiedział...

...dokonałem odkrycia, co to znaczy, że ciebie ciągnie do mnie, a mnie, niemal od pierwszego twego listu, do ciebie. Przecież ty dziecko jesteś, ty masz mnóstwo cech moich bohaterów. Moich Ptaków... Dziewczyn z lasu, Chłopców latających. Wszyscy oni nie mogą się zżyć ze wszystkimi, nie dają się ujarzmić, wyprawiają czasem jakieś wyczyny nieoczekiwane, ku przerażeniu ludzi, marzą, bujają w obłokach, szukają ułudy... To przecież mój styl, to ja cię stworzyłem, i ty musisz dlatego mnie kochać...

Pewnie bym tego nie wzięła do siebie, gdyby nie fakt, że Elżbieta mi o tej parze opowiadała. I że była

z Zygmuntem w tym nieistniejącym już dworze, u nie-
żyjącego już pisarza i jego też już nieżyjącej żony...
Aktorzy odeszli, spłonęły dekoracje. Koniec. Czas się
nad tamtą sprawą zamknął. Ale była wciąż moja sprawa, czy nasza, moja i Zygmunta. I podobna różnica
wieku. I jego myślenie o mnie, że muszę go kochać,
bo on mnie stworzył. „To przecież mój styl..." – nigdy tego nie napisał, ale pewnie tak myślał. A czy po-
myślał o cenie, jaką będziemy musieli za to zapłacić?
Być może ja już ją płacę...

Takie miałam wobec niej wymagania. Chciałam jej
udowodnić, że trzeba pokonywać własną słabość.
A co teraz powiem o sobie? Moje życie roztrzaska-
ło się na kawałki, nie dlatego że być może coś sobie
uszkodziłam w czasie wypadku, ale że nie potrafię się
scalić wewnętrznie. Uczepiłam się tej jednej myśli, że
ona tu do mnie przyjdzie i w ten sposób rozwiążą się
moje problemy. Że moje „być albo nie być" przechyli
się na stronę być.

Ten moment, kiedy w jej oknie zobaczyłam światło...
To było jak wielka wygrana. Zahamowałam gwałtownie, aż mój mały samochód stanął dęba, i już pędziłam w stronę furtki. Ale nikt mi nie otworzył, a światło w pokoju na dole wkrótce zgasło i nie pojawiło się
w żadnym z okien na górze. Skręciłam za róg i czeka-

łam. Nikt jednak nie opuścił domu. A na pewno ktoś tam był.

Nazajutrz z samego rana znowu tam przyjechałam, teraz dużo ostrożniejsza. Samochód zostawiłam o przecznicę dalej i czatowałam za rogiem, ukryta za latarnią. Zobaczyłam ją mniej więcej po godzinie. Ubrana na czarno, nawet chustkę zawiązaną pod brodą miała czarną i takie same okulary. Te okulary już znałam. Podążałam za nią w pewnym oddaleniu, by ze zdumieniem stwierdzić, że weszła do kościoła. Wsunęłam się tam po jakimś czasie, przez chwilę nie mogłam jej odszukać wzrokiem, potem dostrzegłam ją przy konfesjonale. Przystępowała do spowiedzi. Bezwiednie nasunęły mi się słowa: *Całe życie grzeszyłam, ojcze. Byłam wielką grzesznicą, kłamałam, przez wiele lat byłam aktorką i mamiłam ludzkie zmysły...* Opanowała mnie niemal pewność, że ona te właśnie słowa teraz wypowiada. Nie przyszła na premierę do teatru, bo nie było jej to już potrzebne. Miała swój własny teatr, a z Widzem w tym teatrze nie mogli się równać wszyscy widzowie świata razem wzięci... Obserwowałam ją, jak przystępuje do komunii świętej, jak się modli, a potem podnosi się z klęczek i idzie do wyjścia. Wybiegłam pierwsza i czekałam na nią przed kościołem. Było pusto, nie mogła więc mnie nie dostrzec. Zatrzymała się na górnym stopniu.

– Nie dasz mi spokoju? – spytała wrogo.

W milczeniu pokręciłam głową.

Zeszła na dół i ruszyła chodnikiem. Szłam obok niej.

– Koniecznie chcesz wiedzieć, dlaczego nie przyszłam na premierę?

– Już nie – odrzekłam.

Na moment odwróciła twarz w moją stronę, ale nie zobaczyłam jej oczu, bo były ukryte za okularami.

– To czego chcesz?

– Coś się stało... Nie potrafię grać... Nie umiem zbudować innej roli, bo nie zagrałam Armandy... Nie umiem się jej pozbyć...

– Przecież premiera się odbyła.

– Ale ja w niej nie brałam udziału.

– Czyżby?

– Wypowiedziałam tekst, tylko tyle. Ale nie zagrałam roli. I... boję się przyjąć nowej. Gram w powtórkach, przed nową rolą umieram ze strachu... Jeszcze nikt tego nie wie, poza mną i teraz poza tobą...

Znowu odwróciła twarz w moją stronę i znowu nie widziałam jej oczu.

– Kto pod kim dołki kopie, ten sam w nie wpada – odrzekła surowo.

– Nie kopałam pod nikim dołków.

– Nie? Jesteś tego pewna? Z dobrego serca do mnie przyszłaś, a ja z dobrego serca cię przyjęłam?

Przyśpieszyła kroku, chcąc jej dorównać, musiałam niemal biec.

– Mogę mówić tylko za siebie.

– I ty oczywiście masz dobre serduszko?

– Tak myślę.

Zatrzymała się pośrodku chodnika, zwróciła w moją stronę i zdjęła okulary. Miała ściągniętą, złą twarz, niemal jej nie rozpoznawałam.

– Nie rozumiesz, że nie należy przychodzić do porzuconej żony, z której mężem się sypia w jednym łóżku! Wpuściłam cię, żeby cię obejrzeć, żeby wiedzieć, kogo on co noc obmacuje. Nawet na scenę weszłam, żeby wam się obojgu przyjrzeć... Ale nic nowego, naprawdę nic nowego! Ja to już znam, wszystko się powtarza, tylko że ty teraz masz dwadzieścia parę lat, a ja miałam tyle wtedy, a nawet mniej... Rzygać mi się chce, jak o was myślę, o was, o sobie... o sobie z nim... Bo teraz jestem inna...

Tak – pomyślałam. – Teraz jesteś Magdaleną i chodzisz do kościoła, *bo widzisz szatana i lękasz się go.*

– Co tak na mnie patrzysz? – spytała podejrzliwie.

– Ty nie chciałaś, żeby próby się zakończyły... Chciałaś, żeby trwały... Zatrzymałaś dla siebie rolę Magdaleny... Czyje grzechy wyznawałaś dziś spowiednikowi?

– Uważaj – syknęła. – Już raz dostałaś ode mnie po buzi.

– Możesz mnie uderzyć – odrzekłam obojętnie.

Przyjrzała mi się uważnie, potem włożyła okulary i ruszyła przed siebie, ale dużo wolniejszym krokiem. Szłam obok niej. Tym razem w milczeniu. Zawędrowałyśmy tak pod jej dom. Przy furtce przystanęła, jakby się wahała.

– No to wejdź – rzekła z westchnieniem. Sytuacja się powtórzyła, wniosła do pokoju tacę, na której stały dwie filiżanki i cukierniczka. Znowu piłyśmy razem herbatę, ale byłyśmy już dla siebie kimś innym. Nie wiem, co myślała o mnie. Ja myślałam, że przychodząc tu po raz pierwszy, popełniłam straszny błąd. Zaraziłam ją fikcją, która może być niebezpieczna dla kogoś, kto się znalazł w życiowej pustce. Teraz obie miałyśmy ten sam problem, ja chciałam się od tej fikcji uwolnić, ona pozostać w niej jak najdłużej, ale i w jednym, i w drugim wypadku było to nienaturalne, chore.

Spojrzałam na dziewczynkę z gołąbkiem, jakbym chciała u niej szukać ratunku. Ponieważ w końcu musiałam Elżbiecie zadać to pytanie.

– Nie przyszłaś wtedy, bo przeczytałaś wywiad?

– Jaki wywiad? – jej zdumienie było tak duże, że raczej go nie udawała.

– Nie czytałaś wywiadu ze mną i z Zygmuntem w takim magazynie? Ukazał się w przeddzień premiery... to znaczy tej odwołanej...

Wciąż patrzyła na mnie szeroko otwartymi oczami.

– Ale w jakim magazynie?

– Nie pamiętam nazwy – i naprawdę nie pamiętałam, byłam tak wzburzona, że z trudnością bym teraz odpowiedziała, gdyby mnie ktoś zapytał o imię i nazwisko. – Jednym z tych kolorowych...

– No więc nie czytałam – odrzekła. – A co w nim takiego było, że aż powinnam nie przyjść na premierę?

– Powiem ci, jak ty mi powiesz, dlaczego nie przyszłaś – uśmiechnęłam się blado.

Ona też się uśmiechnęła, ale raczej zagadkowo.

– Już ci to wyjaśniłam. Nie pojawiłam się na premierze, bo doszłam do wniosku, że fiut Zygmunta już mnie nie interesuje.

Poczułam nagły zamęt w głowie. Ręka tak mi drżała, że ledwo mogłam utrzymać filiżankę, odstawiłam ją na spodeczek.

– Nie ekscytuj się tak, próbowałam ci to wytłumaczyć, ale, jak widzę, nie uwierzyłaś mi. Więc masz, czego chciałaś!

– Ja tego nie chciałam – wybuchnęłam.

Jakby nie dostrzegając mojego wzburzenia, ciągnęła dalej.

– Po jego odejściu dostałam jakiegoś małpiego rozumu... że w domu nie ma męskich spodni, że nie ma jego maszynki do golenia w łazience... Niemal odchodziłam z tego powodu od zmysłów. Jak nasza jamniczka, która zanim zdechła ze starości, pozostawiona sama w domu, zawsze w jakiś sobie tylko wiadomy sposób potrafiła otworzyć drzwi do łazienki, wyciągnąć z brudów spodnie Zygmunta i powygryzać je w kroku, chodziło o zapach... Mnie też chodziło o zapach, zapach samca... Jeszcze raz się do niego zbliżyć. No i zbliżyłam się, nie mając innej możliwości, na scenie... I co z tego wyszło? Paw.

Policzki tak mnie paliły, że obawiałam się, iż za chwilę tryśnie z nich krew.

– Dlaczego jesteś taka wulgarna? – spytałam cicho.

– Ja jestem wulgarna? To sztuka pod tytułem *Troje na huśtawce* jest wulgarna.

Ona też wymyśla tytuły – przemknęło mi przez głowę.

– Uważasz, że źle zrobiłam, przychodząc wtedy do ciebie?

W jej wzroku dostrzegłam wahanie. Więc być może odczuwała podobnie, być może jak ja nie wiedziała, czym było dla niej nasze spotkanie.

– Jakie to teraz ma znaczenie – odpowiedziała jednak.

– Dla mnie ma.

– Bo nie wiesz, czy zagrałaś w jakiejś sztuce, czy nie zagrałaś? Przestań się nad tym zastanawiać i zabierz się do innej.

– Nie potrafię! – wybuchnęłam. – Bo dopóki ty grasz Magdalenę, ja muszę być Armandą!

– Dziecko! Ty chyba zwariowałaś?!!

Patrzyłyśmy na siebie.

– Po co chodzisz do spowiedzi w dzień powszedni? Dlatego że ona chodziła?

– A skąd wiesz, czy chodziła, tego nie ma w sztuce!

– Ale jest w książce.

I znowu na siebie patrzyłyśmy.

– Wszyscy wiedzą, że Magdalena pod koniec życia popadła w manię religijną, codziennie przystępowała do spowiedzi i krzyżem leżała w kościele – wyrzekłam wolno.

– A jacy to wszyscy? – zasyczała w odpowiedzi.

– No... Wszyscy w teatrze.

– Nie jesteśmy w teatrze. I mogę robić, co mi się podoba, nawet dwa razy dziennie chodzić do kościoła i spowiadać się, nawet trzy razy i pięć...

Po policzkach zaczęły mi płynąć łzy.

– Dlaczego się mażesz, co ja takiego powiedziałam?

– Boję się, bo coraz mniej rozumiem twoją rolę.

– Jaką rolę? Ja niczego nie gram. Modlę się.

– Ona też mówiła, że się modli! Arcybiskup ją pyta: *Jak bronisz się przed szatanem, nieszczęsna kobieto?* A ona odpowiada: *Modlę się.* I on wtedy mówi: *Bóg cię za to nagrodzi i pokocha!*

– Mam taką nadzieję – odpowiedziała cicho.

Nie mogłam tego słuchać, zerwałam się i uciekłam z płaczem. Płakałam w samochodzie przez całą drogę do domu.

Dlaczego ta rozmowa niczego mnie nie nauczyła? Czyż nie powinnam była wtedy zrozumieć, że wchodzenie w drogę Elżbiecie jest dla mnie niebezpieczne? Gdybym zaprzestała wizyt u niej, być może wszystko by wróciło do normy. Bo przecież nawet rozpoczęłam pracę nad rolą Małgorzaty i zaczęło mi to sprawiać coraz większą radość. Pojawiła się nadzieja, że mogę z powrotem być sobą, że zwolniło się miejsce Armandy i może je teraz zająć inna postać... Ale prawda była taka, że Armanda powracała, kiedy jej się tylko podobało, dla mnie zaś oznaczało to przestój, niemożność pracy nad nową rolą. Wsiadałam wtedy w samochód i jechałam do Elżbiety. Ale zamiast Elżbiety najczęściej spotykałam Magdalenę. Wiedziałam, że jeżeli nie zastanę jej w domu, odnajdę ją w kościele. Nie mogłam tego wszystkiego znieść, poczynając od jej wyglądu. Ta czerń od góry do dołu. I jej twarz. Wyraz jej twarzy, jakby przebywała w innej rzeczywistości, jakby powtarzała w kółko: *Chcę po wiek wieków słuchać modłów anielskich...* Ale to był przecież ciągle tekst sztuki. W co myśmy się obie zaplątały, jak z tego wyjść? Ona przynajmniej wyglądała z tym na szczęśliwą, ja przeciwnie. Ja nadal kontrolowałam rzeczywistość.

Postanowiłam porozmawiać z jej spowiednikiem. Odczekałam, aż się Elżbieta dostatecznie oddali, i sama przyklękłam przy konfesjonale.

– Ksiądz przed chwilą spowiadał tutaj kobietę... aktorkę...

– W imię Ojca i Syna, i Ducha Świętego, amen – usłyszałam.

– Proszę księdza, ja nie chcę się spowiadać. Ja chcę księdza ostrzec, że ona... wyznaje nie swoje grzechy, ona mówi do księdza tekstem sztuki...

Urwałam. Przez chwilę panowała zupełna cisza.

– Czy opowiada, że ma córkę... która nieszczęśliwym trafem wyszła za mąż za własnego ojca? Że doszło do kazirodztwa? To brzmi tak: *Urodziłam ją na prowincji. Kiedy zaś urosła, przywiozłam ją do Paryża i wszystkim mówiłam, że to moja siostra. On tymczasem, dręczony namiętnością, dobrał się w końcu do niej, ale nicem już nie mówiła, aby nie czynić jego także nieszczęśliwym...*

– Opamiętaj się, dziecko – w głosie księdza tyle było oburzenia, że zrozumiałam, iż Elżbieta spowiadała się jednak ze swoich grzechów.

– Przepraszam. – Speszona podniosłam się z kolan. Nie wiem, co zyskałam, przekonawszy się, iż pobożność Elżbiety brała się z jej własnych duchowych potrzeb, a nie była wynikiem przywłaszczenia sobie roli. Przecież nie jej problemy miałam rozwiązywać, ale swoje. Największy polegał na tym, że od czasu zerwanej premiery zaczęłam obawiać się występów na scenie. Nazywałam to w myślach „kompleksem Armandy". Niezagrana rola powodowała blokadę w moim mózgu, i to w najmniej przewidywanych momentach. Czasami zaczynałam jakąś kwestię z siłą, ale brakowało mi już siły do jej zakończenia. Pojawiały się nieopanowany lęk i chęć ucieczki. A najgorsze, że z nikim nie mogłam o tym porozmawiać. Próbowałam, ale oni to bagatelizowali. I Zygmunt, i reżyser sztuki.

– Pani Olu, jestem z pani bardzo zadowolony. Pani nie gra Małgorzaty, pani nią jest!

Pewnie nie wiedział, jaką grozę wywołały we mnie jego słowa. „Pani nie gra, pani nią jest". A tego właśnie najbardziej się obawiałam. Że ona mi odbierze osobowość... A może byłam po prostu bardzo, bardzo zmęczona. Właściwie od dawna nie miałam wakacji, w przeciwieństwie do moich kolegów lato spędzałam w Warszawie, jak i to ostatnie zresztą. Pomimo różnych planów zabrakło nam pieniędzy na wyjazd, Zygmunt wdał się przecież w budowę domu. Pozostawała nam kawalerka, gdzie w upalne dni temperatura dochodziła do trzydziestu stopni. Mogłam wprawdzie wyjechać do mamy, ale nie zdecydowałam się na to. Mama nie akceptowała mojego sposobu życia, jak i związku z Zygmuntem. Wiedziałam, że nie pozostawi mnie w spokoju, będzie drążyła i drążyła. Już z dwojga złego wolałam spędzać lato w rozpalonej kawalerce. A w tym nieszczęsnym wywiadzie wyczytałam, że co roku wylegujemy się z Zygmuntem na plażach ciepłych mórz, i to w różnych zakątkach świata. No, no, pogratulować dziennikarce wyobraźni. Swoją drogą, dlaczego Elżbieta nie wypytywała więcej o ten wywiad, czy naprawdę nie była ciekawa? Czy już go znała? Czy przeczytała go tego dnia, kiedy się ukazał? Przecież parokrotnie zmieniała wersje różnych zdarzeń, co prawda mniej ważnych, ale jednak. I nie udzieliła mi odpowiedzi na moje pytanie, dlaczego nie przyszła wtedy do teatru. To znaczy udzieliła kilku, ale podejrzewam, że żadna nie była prawdziwa. Może tajemnica tkwiła w jej nagłej pobożności. Może to spowiednik jej odradził konszachty z teatrem, i to jeszcze przy okazji tak heretyckiej sztuki. Bałam się o nią, bo wyczuwałam, że jej potrzeba obcowania z Bogiem przekroczyła normalne granice i nie było przy niej nikogo, kto by starał się te granice przywrócić. Przerażał mnie wręcz wyraz jej twarzy. Nie było jej tu!

Wydaje mi się, że słyszę głos Darka. Więc się jednak przełamał i przyszedł, chociaż rozstaliśmy się w gniewie. Powiedział wtedy:

– Uważaj, robisz sobie teatr z życia, dokąd cię to zaprowadzi?

– To już moja sprawa – odparłam.

– Nie sądzę, żebyś była w pełni świadomym człowiekiem – wycedził. – Jesteś raczej teatralną kukłą. Wy wszyscy tacy jesteście, aktorzy, nawet kiedy krwawicie, nie jest to prawdziwa krew...

A jednak pofatygował się, by mnie odwiedzić, widocznie uznał, że wypadek zdarzył się naprawdę, a ja naprawdę krwawiłam. Biedak, nie ma pojęcia, że przychodząc tutaj, sam stał się aktorem. Obsada mojej sztuki jest już niemal skompletowana, o ile tam, na korytarzu, to naprawdę on...

Zastanawiałam się, czy nie porozmawiać z Zygmuntem o Elżbiecie. Ale on przecież nawet nie wiedział, że ja się znowu z nią spotykam. Mógłby się źle do tego odnieść. Na pewno źle by się do tego odniósł. Nie, Zygmunt odpadał. A ich córka? Ona pewnie widziała to samo co ja, dlatego nie chciała ze mną mówić o matce. Któregoś dnia Elżbieta otworzyła mi drzwi z różańcem w dłoniach, nawet się ze mną nie przywitała, bo nie mogła zaprzestać mamrotania słów modlitwy. Trwało to ponad kwadrans.

– Modliłam się w intencji rodziców – powiedziała wreszcie normalnym głosem. – Napijesz się herbaty?

Ale zaraz odwołała swoją propozycję, bo spojrzała na zegarek i zlękła się, że nie zdąży do kościoła.

To, co się z nią działo, wprawiało mnie w jeszcze większe przygnębienie. Nawet bardziej bałam się o nią teraz niż wówczas, kiedy ją posądzałam, że utożsamia się z rolą. Może dlatego że tamto sama przeżyłam. I nauczyłam się rozpoznawać niebezpieczeństwo. Tutaj byłam bezradna. Nie potrafiłam wyobrazić sobie, że ktoś całkiem normalny może do tego stopnia ulec złudzeniu. Bo czymże jest taka żarliwa wiara jak nie ułudą, wręcz histerią. Dialog z Bogiem trzeba prowadzić bardzo ostrożnie...

Późnym wieczorem, kiedy leżeliśmy z Zygmuntem w łóżku, zadałam mu pytanie: czy jest człowiekiem wierzącym.

– Wierzącym w co?

– W Boga.

Zygmunt wciągnął głośno powietrze przez nos, co było oznaką dezaprobaty.

– A masz jeszcze do mnie jakieś inne pytania?

– A ty do mnie?

Roześmiał się.

– Bardzo chciałbym wiedzieć, czy zdążyłaś mnie już zdradzić?

Co miał na myśli? A raczej kogo? A raczej kogo i co...

Czy to chodziło o *Zmowę świętoszków*, czy o tę drugą zmowę... Czy jak wtedy Darkowi o niego, tak teraz jemu o Darka?

– No? Czekam na odpowiedź.

– Muszę wiedzieć, co masz na myśli, mówiąc o zdradzie – odpowiedziałam ostrożnie.

– Chodzi mi o zdradę fizyczną, o tę, która się dokonuje z obcym ciałem w łóżku.

A jeżeli to ciało nie jest obce? – pomyślałam niewinnie.

– Doczekam się twojej odpowiedzi?

– Raczej nie – odrzekłam – bo rozczarowuje mnie zawężanie przez ciebie problemu zdrady...

Małgorzata... Małgorzata zaczynała nabierać z wolna ludzkich rysów. Obchodziłam ją ze wszystkich stron, oglądałam, można powiedzieć, że ją obwąchiwałam, ciągle jednak nieufna, na dystans. Cały czas byliśmy na etapie prób czytanych, czy – jak inni to wolą – stolikowych. Pracowałam nad fragmentem roli: Małgorzata na ławce.

Ludzie przechodzą, mężczyźni lustrują ją wzrokiem, zainteresowała ich jej uroda i elegancja. A ona nic. Siedzi. Jeden gość chciał się przysiąść, ale tak na niego popatrzyła, że się zaraz wyniósł. Myśli sobie:

Dlaczego właściwie przepłoszyłam tego mężczyznę? Nudzi mi się, a ten lowelas w niczym nie jest gorszy od innych... Opuszcza głowę, wzdycha. I naraz na jej twarzy zmiana: *Tak, coś się dziś wydarzy!* Z powodu tej sceny doszło nawet do kłótni z reżyserem, bo on początkowo życzył sobie, aby Małgorzata wypowiedziała ten monolog głośno.

– Kto tu jest reżyserem! – zirytował się.

– Pracujemy nad rolą – odpysknęłam.

Roześmiał się ironicznie.

– Mam pani opowiedzieć anegdotę z planu *Pana Wołodyjowskiego*? Tam jest taka scena, kiedy Wołodyjowski wytrąca Baśce szablę z dłoni. Aktorce grającej jej rolę się to nie podobało i zaproponowała, aby scenę zmienić i aby to Basia pokonała Wołodyjowskiego, dopiero byłoby śmiesznie! To autentyczna historia, sam Łącki mi opowiadał!

– Ale ja panu takich zmian nie proponuję, ja tylko chcę zachować monolog wewnętrzny...

– Niech pani próbuje!

Spróbowałam. I na szczęście uznał, że wyszło nieźle. Boże, a jakby mi tak kazał gadać na głos: *Nudzi mi się, a ten lowelas w niczym nie jest gorszy od innych...* Mam ciężki kawałek chleba...

Chodząc ze skryptem pod pachą, myślałam o Elżbiecie. Że jednak to, co się z nią teraz dzieje, nie dzieje się bez mojego wpływu, może rola Magdaleny nie zdominowała jej, jak się obawiałam, ale wskazała drogę ucieczki. Kiedy ją poznałam, uciekała w alkohol. Teraz chodzi do kościoła. To oczywiście coś innego, ale to żadne wyjście. Przesadna religijność nie może być sposobem na życie, chyba że się jest księdzem albo zakonnicą.

Dlaczego tak się o nią martwiłam... Czy dlatego że wciąż dręczyło mnie poczucie winy? To powinien być kłopot Zygmunta, ale on po prostu nie oglądał się za siebie. Jak stwierdził w wywiadzie: Taką miał zasadę. Czy na mnie też się nie obejrzy, jak się okaże, że nam jednak nie wyszło? Może uważa, że musi nam wyjść, bo ja byłam tym ostatnim kontyngentem młodych hormonów... Przecież nie wypadałoby, aby jego kolejna żona była jeszcze ode mnie młodsza, a jakby miała być starsza, to co z hormonami?

Któregoś dnia chodziłam po księgarniach, czasami lubię pooglądać książki, rzadko je teraz kupuję, bo nie mam czasu na czytanie – chyba że na tych wyimaginowanych wakacjach nad ciepłym morzem – ale podczytuję właśnie przy księgarskiej ladzie. Kiedyś przeczytałam tak tomik poezji, od deski do deski. Więc zajrzałam do księgarni na Nowym Świecie i spostrzegłam okładkę książki, którą już przedtem widziałam. To ona właśnie odbywała pokutę u Darka w ubikacji. Po chwili wahania ją kupiłam. Może z przekory, bo chciałam sprawdzić, czy naprawdę jest takim skanda- lem. Stwierdziłam, że mężczyźni przesadzają. Tak jak się spodziewałam, były to gorzkie żale żony aktora, czy raczej wdowy po nim, która miała niełatwe przy nim życie. To ona była jego kontyngentem młodych hormonów i chcąc nie chcąc, musiała za to płacić. Dla mnie oprócz małostkowej rozprawy z nieprzyjaciół- mi i przyjaciółmi w cudzysłowie był to zapis trudnej miłości. Szczególnie wzruszył mnie początek, kiedy Łącki jest rektorem, ona jego studentką i muszą się z przyczyn oczywistych kryć ze swoimi uczuciami. *Nikt wprawdzie nie spostrzegł, że przechodząc obok mnie, wsłuchanej w korytarzu Teatru Narodowe- go w czyjś monolog, potrafił T.Ł. wcisnąć mi w dłoń karteczkę lub talizman, nikt nie zauważył, że potra- fił porwać z popielniczki pozostawiony w niej prze- ze mnie niedopałek lub dopić szybko w bufecie resztę mojej kawy...* Stanowczo Darek przesadził, potępia- jąc żonę swego idola za to, że była jego żoną, ale ona była przecież także kobietą... Ja też byłam żoną, może w innej trochę sytuacji, chociaż z tego samego kon- tyngentu. Gdybyśmy się znały, mogłybyśmy wymie- niać doświadczenia. Tyle że ja związałam się z czło- wiekiem, który nosił w sobie głęboki kompleks braku własnej wielkości. Łącki był własnej wielkości świa- dom i tego jednego nikt mu nie był w stanie odebrać, chociaż to, co zrobił ze swoim życiem, mściło się na nim okrutnie. Niepotrzebny, wręcz bezsensowny flirt z komunizmem został mu zapamiętany i w III Rzeczypospolitej zamknęły się przed nim niemal wszystkie sceny. Podobno chodził ze swoim Learem i pukał do drzwi teatrów, nikt mu nie otworzył. Dopiero w Poznaniu. Ale już było za późno, nie wytrzymało jego zgonione, połatane przez chirurgów serce...

Więc porównywanie naszych związków mogłoby wypaść na moją niekorzyść, gdyby nie to, kim byłam ja sama. Ona istniała przy teatrze jako krytyk teatralny, ja w teatrze. Zasadnicza różnica. Tamta stała z boku, patrząc, jak teatr pożera jej męża, i była raczej bezradna, a my z Zygmuntem jesteśmy pożerani w równym stopniu. Jeżeli coś ci pożera stopę, pożerana stopa bliskiej osoby staje się automatycznie mniej ważna. Przekonałam się o tym całkiem niedawno, kiedy po raz pierwszy dotarło do mnie, że nie zawsze mogę sprostać aktorskiemu zadaniu... Przedtem wydawało mi się, że muszę jedynie dostać rolę, by ją zagrać. Oczywiście nie byłam idiotką i nie wyobrażałam sobie, że wystarczy nauczyć się tekstu, by go potem na scenie sprzedać; wiedziałam, ile trzeba w to włożyć własnego wysiłku i wysiłku innych, ale zawsze na końcu była moja wygrana. Jak dotąd. Do tamtego dnia, kiedy Brzeski wszedł do mojej garderoby i oświadczył, że Elżbiety nie ma w teatrze...

Więc dlaczego ona mnie ciągle tak interesuje? Do tego stopnia, że tę ryzykowną inscenizację podjęłam specjalnie dla niej, aby jej wreszcie powiedzieć, co moim zdaniem w życiu jest najważniejsze... Tutaj mnie powinna wysłuchać, bo tutaj na jej oczach wydarzy się cud, wskrzeszenie śpiącej, nie chcę powiedzieć: na wpół umarłej, chociaż wszyscy mnie tak traktują... Bezprzytomny kloc, za który oddychają sztuczne płuca.

Nikomu nie przychodzi do głowy, że ten kloc myśli!

Praca nad rolą Małgorzaty nadal przypominała walkę. Czułam, że moja własna skóra stała się nieprzepuszczalna, niemal lękałam się symbiozy z postacią, jakby coś niedobrego miało z tego dla mnie wyniknąć. A przecież na tym polegał mój zawód, na wypożyczaniu własnego wnętrza. Przedtem to było czymś naturalnym, do czasu fatalnej premiery. Więc jak miałam dalej istnieć w swoim zawodzie, skoro zrobiłam się taka ostrożna i podejrzliwa? To nie sprzyjało rozwojowi mojego talentu, o ile go jeszcze nie zatraciłam... Dodatkowy kłopot polegał na tym, że Małgorzata była mi kimś duchowo obcym. Irinę zrozumiałam od razu, młodziutką Julię... nawet bohaterkę Sz*klanej menażerii*, którą zagrałam w Teatrze Telewizji. Każda z nich miała inne życie, inne doświadczenia, ale była młoda.

Jak ja... Armanda miała zaledwie siedemnaście lat, nie mówiąc o Julii. A Małgorzata była kobietą dojrzałą, i taką ją miałam zagrać. Mimo że kiedy ją poznajemy u Bułhakowa, ma trzydzieści lat, w swojej mentalności jest dużo starsza... Może to jej smutek... coś sprawiało, że nie mogłam jej zrozumieć, że im bardziej chciałam się do niej zbliżyć, tym większy napotykałam opór. Nie z jej przecież, z mojej strony... To ja miałam siebie urodzić na scenie i nazywać Małgorzatą, aż do ostatniego przedstawienia. Nie lubiłam Małgorzaty, bo nie wiedziałam, jak ją zagrać. Wszystko, co się działo na próbach, było z mojej strony oszustwem, na które jak dotąd nabierali się koledzy i reżyser. Bo ja tylko udawałam, że jestem Małgorzatą, podczas gdy naprawdę nie byłam nią ani trochę i musiało to w którymś momencie wyjść na jaw. W trakcie prób często miałam uczucie, że zmierzam w stronę katastrofy. Chociaż to mogło być złudne. Przed tamtą premierą nie miałam żadnych złych przeczuć, a nawet było we mnie tyle nadziei i entuzjazmu i w jednej chwili wszystko się zawaliło. Więc może teraz będzie odwrotnie, moje czarne myśli rozwieją się jak mgiełka. Muszę tylko znaleźć sposób, by pozbyć się blokady, lęku przed powrotem Armandy... Ją ostatnią, tak bez żadnych zastrzeżeń, obdarzyłam własną skórą.

Zastanawiałam się całkiem serio nad tym, czy się nie wycofać, nie zrezygnować z roli. Było już jednak trochę za późno, próby trwały od dwóch tygodni, a poza tym jaką miałam gwarancję, że przy nowej roli się to nie powtórzy. Nie, musiałam pokonać samą siebie, musiałam pokonać swój strach! Zresztą, ona przecież też się boi. Małgorzata stale się boi, może to nas do siebie zbliży.

Wieczorem spytałam Zygmunta, czy zdarzyło mu się zagrać coś, czego nie był w stanie zrozumieć.

– Co masz na myśli? – spytał, uważnie mi się przyglądając.

– No... taki brak tożsamości z bohaterem.

– Nic takiego nie istnieje, dostajesz kontur, który wypełniasz. Nie możesz więc starać się utożsamiać z konturem, to sprawa reżysera. On jest twórcą całości. Aktor, nawet genialny, sam nie zagra, chyba że siebie wyreżyseruje, ale do tego musiałby być także wspaniałym reżyserem, a to rzadko chodzi w parze.

Spojrzał na mnie z lekkim uśmiechem.

– Talent aktorski nie ma nic wspólnego z osobowością aktora, z jego inteligencją. Dla mnie talent to umiejętność współpracy aktora z reżyserem. Im większy aktor, tym lepiej to potrafi. Więc wybierając się do kina, patrz na reżyserię, a nie na obsadę aktorską. Widziałem już Hackmana czy De Niro w naprawdę marnej formie.

Wzruszyłam ramionami.

– Mnie chodzi o teatr.

– A w teatrze, myślisz, jest inaczej?

Więc dlaczego odniosłam taki sukces w *Trzech siostrach* – pomyślałam z odrobiną złośliwości.

Nie wiedziałam, jak mu wytłumaczyć swój lęk. Musiałabym się tym samym przyznać, że przestaję być aktorką... A jeżeli tak jest w istocie, kończy się moje życie. Bo przecież ja tylko umiem grać, czy raczej umiałam...

Naprawdę dramatyczne zdarzenia miały jednak dopiero nadejść. Zaczęło się od sceny w sypialni, gdzie Małgorzata, przygotowując się do wyjścia na bal, zrzuca szlafrok i naciera maścią całe ciało. Reżyser wymyślił, żeby przemianę jej ciała, jego nagłą olśniewającą piękność, wydobyć za pomocą świateł. No i chciał zrobić próbę. Miałam wejść na scenę i zrzucić szlafrok, pod którym byłabym oczywiście naga. To znaczy on się tego domagał, uważając, że będzie to bardziej naturalne. Ja upierałam się, aby moją nagość udawał dobrany do koloru ciała trykot.

– Jestem aktorką, a nie striptizerką – powiedziałam ostro.

– Większe od pani aktorki rozbierały się na scenie – odrzekł.

– To proszę jedną z nich zaangażować zamiast mnie. – Odwróciłam się i odeszłam do garderoby.

O Boże – kołatało mi w głowie – właśnie zerwałam próbę... Ale o to przecież chodziło, wycofać się tak, żeby nikt nie domyślił się prawdziwej przyczyny, nie dowiedział się prawdy.

A ona się rozebrała – przemknęło mi przez myśl. Niby nie miało to związku z tym, co zaszło przed chwilą... jednak chyba miało. Niejasne uczucie, że ja i ona żyjemy w pewnego rodzaju symbiozie, że się uzupełniamy, i kiedy jednej nie ma w pobliżu, ta druga nie czuje się w pełni sobą, tkwiło w mojej podświadomości i co jakiś czas dochodziło do głosu. Jak teraz. Zaczynałam rozumieć, że moja niemoc ma ścisły związek z osobą Elżbiety i że ubieranie jej w kostium Magdaleny, a siebie w kostium Armandy nie ma sensu. Ja potrzebuję jej, a ona chyba mnie... Może wcale nie dlatego się spotkałyśmy, że obie miałyśmy tego samego mężczyznę. Zygmunt nie miał tu nic do rzeczy. Ważniejsze było nasze spotkanie. W życiu, a przede wszystkim na scenie. Przecież wszyscy, którzy widzieli próbę generalną, potwierdzali, że było coś niesamowitego w tamtej inscenizacji... Gdyby nie to, że Elżbieta postanowiła się wycofać, z pewnością potwierdziłyby to recenzje. Pukanie do drzwi, wchodzi reżyser.

– Pani Olu, może niepotrzebnie się uniosłem. Ja po prostu próbuję eliminować sztuczność, jak tylko się da. I tak jest jej dość w teatrze.

Starałam się przybrać przyjazny wyraz twarzy.

– Chyba tak, chyba lepsza jest pana wersja. Skoro ona się rozebrała...

– Na próbach może pani występować w bieliźnie.

– Dobrze – zgodziłam się od razu.

– Poczytam ci, dobrze? – pytał za każdym razem, a ja nie mogłam mu odpowiedzieć. Ale tak bardzo nie chciałam, aby mi czytał. Bo już wiedziałam to, co musiało do niego dotrzeć z całym okrucieństwem w momencie wypowiadania pierwszego dialogu:

– *Kto? Kto tu jest?*

– *To my, twoje dobre i złe uczynki* – odpowiadają głosy zza kulis.

Wszystko to dzieje się nocą w pustym teatrze. Aktor, sam na scenie, próbuje rolę Leara, ale przeszkadzają mu te głosy, które w rzeczywistości są niczym innym, jak głosami jego sumienia.

Mój wewnętrzny komentarz: Pomysł dobry, nawet świetny. Ale Aktora brak...

Zaraz po próbie pojechałam do Elżbiety. Na szczęście zastałam ją w domu. Nie wydawała się zdziwiona moim widokiem.

– Jak ci idzie? – spytała krótko.

– Elżbieta, błagam cię, pomóż mi coś sprawdzić. Zgódź się zagrać ze mną...

– Ja już skończyłam z teatrem.

– Ale... nie w teatrze, zgódź się na czytaną próbę, tylko ty i ja... to takie ważne...

Patrzyła na mnie, lekko mrużąc oczy, jakby mnie chciała lepiej widzieć.

– To jakaś twoja kolejna sztuczka?

– Ja nie robiłam sztuczek, to ty! Ty! Jestem od ciebie zależna...

Uśmiechnęła się lekko.

– Jemu też to powiedziałaś, że jesteś od niego zależna? Takich rzeczy nie wolno mówić nikomu, moja mała!

Czułam, że pod powiekami gromadzą mi się łzy.

– Jak już mam się wygłupiać, to jednak chcę wiedzieć dlaczego – powiedziała wreszcie.

– Powiem ci, jak się zgodzisz... Zastanawiała się chwilę.

– Helena i Sonia!

– A masz tekst?

– Wybór dramatów Czechowa na półce – wskazała na regał w przedpokoju, z którego kiedyś wazon spadł mi na głowę.

Odnalazłam w tomie *Wujaszka Wanię*.

– Będziemy się wymieniały egzemplarzem – zaproponowałam – bo mamy jeden.

– Ty korzystaj, ja znam tekst – odrzekła lekko, a przecież było to wyznanie. Kiedyś chciała tę rolę zagrać, chciała ją zagrać tak bardzo, że nauczyła się jej na pamięć.

– Który?

– Heleny.

A więc chciała być Heleną, tą piękną, pełną harmonii, uwielbianą przez mężczyzn. Nawet mnie to ucieszyło, że wybrała ją, a nie Sonię, bo Sonia była mi o wiele bliższa. A teraz miała się stać moim sędzią, miała zadecydować o moim pozostaniu lub odejściu z teatru. Kochana Sonia – pomyślałam – ona mnie nie może skrzywdzić...

– Zacznij od fragmentu: „Nie jestem ładna" – zadecydowała Elżbieta.

– *Nie jestem ładna...* – przeczytałam.

Elżbieta uśmiechnęła się zagadkowo i był to uśmiech wykraczający poza rolę, to nie Helena uśmiechała się do Soni, którą szczerze lubiła, to pierwsza żona uśmiechała się do tej drugiej, co było wyrazem o wiele bardziej złożonego uczucia niż lubienie czy nielubienie.

– *Masz ładne włosy* – odpowiedziała.

– *Nie. Nie. Kiedy kobieta jest nieładna, powiadają jej: „Masz piękne oczy, masz piękne włosy..." Kocham go już sześć lat...* – w tej sekundzie uświadomiłam sobie, że ja znam Zygmunta dużo dłużej – *kocham go więcej niż matkę; w każdym momencie słyszę jego głos, czuję uścisk jego ręki; spoglądam na drzwi, czekam, ciągle mi się wydaje, że on wejdzie lada chwila. I widzisz, wciąż przychodzę do ciebie, aby mówić o nim. Teraz przyjeżdża do nas codziennie, ale nie*

patrzy na mnie, nie widzi mnie... To jest taka męka!
Nie mam żadnej nadziei, nie, nie... o Boże, dodaj
mi sił!

I nagle uczułam, jak te siły we mnie wstępują, jak wszystko powraca na swoje miejsce. Czytałam tekst sztuki, z której wybrałam rolę Soni, i ta rola już się we mnie formowała, czułam, jak rośnie, jak się rozpiera, szuka ujścia. Powracała radość życia i wiara we własne siły, mimo to ciągle jeszcze byłam nieufna, nie potrafiłam zapomnieć, czego doświadczyłam ostatnio. Bo mogło to być tylko złudzenie...

– A on? – spytała Elżbieta. Nie, to już spytała Helena.

SONIA: *On mnie nie dostrzega.*

HELENA: *To dziwny człowiek... Wiesz co? Pozwól mi, ja z nim pomówię... Ostrożnie, nie wprost... Doprawdy, jak długo może trwać taka niepewność. Pozwól mi!*

Jako Sonia potakująco kiwnęłam głową.

HELENA: *Doskonale. Kocha czy nie kocha – dowiedzieć się nietrudno. Nie bój się, kochanie, nie trwóż się – ja przeprowadzę śledztwo delikatnie, nawet tego nie zauważy. Musimy się tylko dowiedzieć – tak czy nie?*

Zasłuchałam się, zapatrzyłam w nią, była za stara do roli Heleny, miała twarz bez makijażu, z głębokimi szpecącymi ją sińcami pod oczyma, a jednak była

Heleną... Była tak fascynująca, że zapomniałam, iż ja też gram w tej sztuce.

Jej milczenie przywołało mnie do porządku.

SONIA: *Powiesz mi prawdę?*

HELENA: *Ależ oczywiście. Mnie się zdaje, że najgorsza prawda nie jest taka straszna jak niepewność. Zaufaj mi, kochanie.*

Nie mogę – odpowiedziałam jej w myślach – właśnie tobie nie mogę zaufać, ale głośno powtórzyłam tekst roli.

SONIA: *Tak, tak... Powiem mu, że ty chcesz zobaczyć te plany... Nie, niepewność jest lepsza... Bo zawsze jeszcze zostanie nadzieja...*

Wypowiadałam tekst, jednocześnie prowadząc w głowie dialog z Elżbietą: Jak mam ci zaufać, skoro wybrałaś taki fragment sztuki, dwuznaczny... dotyczący mężczyzny, tylko że w sztuce ten mężczyzna kocha ciebie, a w życiu mnie...

HELENA: *Co ty mówisz?*

Ja i SONIA naraz: *Nic, nic.*

I tutaj powinnam wyjść, ale była to przecież próba czytana, więc odłożyłam tylko tekst. Sądziłam, że na tym zakończymy.

HELENA: *Nie ma nic gorszego, jak znać cudzą tajemnicę i nie móc na nią poradzić. On się w niej nie kocha – to jasne, ale dlaczego nie miałby się z nią oże-*

nić? *Nie jest ładna, ale dla wiejskiego lekarza w jego wieku byłaby znakomitą żoną. Mądra, taka dobra, czysta...*

– Przestań! – wybuchnęłam. – Wcale tak o mnie nie myślisz! Że jestem taka mądra, dobra, czysta...

Spojrzała na mnie półprzytomnie.

– Tego nie ma w tekście?!

– Nie ma – bąknęłam zbita z tropu. – Soni już wcale nie ma w pokoju...

– To dlaczego mi przeszkadzasz? – Odrzuciła głowę, kontynuując swój monolog.

HELENA: *Sumienie mnie zamęczy... On bywa tutaj co dzień, zgaduję po co, dlaczego tu przyjeżdża, i ja już mam poczucie winy, gotowa jestem upaść przed Sonią na kolana, przepraszać i płakać...*

Umilkła. Patrzyłyśmy na siebie, w tym samym momencie w jej i w moich oczach pojawiły się łzy.

– Ja to powinnam powiedzieć... – wyszeptałam. Ale ona tego nie podjęła.

– No i co? Dał ci coś ten sprawdzian? – spytała normalnym tonem.

– Miałam za małą rolę – odrzekłam.

Nie domagała się już wyjaśnień, mimo że jej to wcześniej obiecałam. Taka właśnie była, dyskretna ponad miarę. Wolałabym, aby mnie wypytywała, może łatwiej by mi było się przed nią otworzyć. A tak, obie sprawiałyśmy wrażenie, że idziemy ku sobie po omacku. Ciągle jednak postępowałyśmy do przodu, to było pewne.

Moja odpowiedź była zresztą prawdziwa, niczego jeszcze o sobie nie wiedziałam, nawet tego, czy mój kryzys mija. Ten przebłysk, kiedy podjęłam rolę Soni, dał mi z pewnością jakąś nadzieję. W każdym razie, jeżeli powrócę do dawnej formy, nigdy nie zapomnę lekcji udzielonej mi przez teatr. Że nikomu nie można całkowicie zaufać, nawet samemu sobie. Zaczęłam się też przyglądać swojemu związkowi z Zygmuntem. Elżbieta mnie nie buntowała przeciw niemu, tego nie mogę powiedzieć. Czasami mówiła gorzkie rzeczy, ale to nie było skierowane bezpośrednio pod jego adresem, raczej dotyczyło mężczyzn w ogóle.

– Najgłupszą sprawą w życiu są złudzenia – powiedziała kiedyś – ale większość ludzików tego nie wie.

Używała takich zdrobnień wobec ludzi i rzeczy, co mnie denerwowało, bo wyczuwałam w tym odrobinę wyższości, zupełnie jakby Elżbieta nie mówiła, tylko przemawiała. Więc ludziki, kobietki, mężczyznki, jedynie o Bogu mówiła Bóg, a nie Bożek. Widocznie w tym jednym wypadku uznawała czyjąś nad sobą przewagę, nawet władzę. Jeszcze nie wiedziałam, czym naprawdę była dla niej religia, którą nagle dla siebie odkryła. Wyglądało to jak szukanie na siłę jakiegoś celu, gorączkowe zapełnianie pustki.

Ale przecież tuż przedtem powróciła do teatru i gdyby tylko chciała, byłby to powrót udany, czyżby więc tę pustkę spowodowało kolejne rozstanie ze sceną? Musiałabym znać całą prawdę, musiałabym zrozumieć przyczynę, dla której zerwała przedstawienie i odeszła z teatru. Miałam nadzieję, że któregoś dnia ona mi to powie. Jeszcze nie teraz, teraz było za wcześnie, jeżeli chodzi o nasze relacje, byłyśmy dopiero w połowie drogi. Mój stosunek do niej nadal był niejasny... Z pewnością zaczęło się od poczucia winy. Ale potem, potem odkryłam, że jesteśmy bardzo do siebie podobne, że podobnie widzimy świat. A później przyszedł mój kryzys i myśl, że ona mi pomoże. I kto wie, czy tak się nie stało. Bo przecież ten kryzys nie polegał na tym, że ja zapomniałam nagle, jak trzeba grać, że uleciało mi z pamięci to, czego mnie uczono w Szkole. Coś się zablokowało w mojej głowie, a w czasie naszej czytanej próby z *Wujaszka Wani* ta blokada jakby zelżała. I miałam nadzieję, że się jej wkrótce pozbędę. Gdyby tak się naprawdę stało, zawdzięczałabym to Elżbiecie... Zygmunt mi nie pomógł, nie chciał mnie nawet wysłuchać, choć, muszę przyznać, nie byłam skora do opowiadania mu o sobie wszystkiego. Tyle instynktu samozachowawczego jeszcze we mnie pozostało. Więc w sumie nie ponosił dużej winy, ja go jednak obwiniałam. O to, że nie umiał mnie naprawdę zobaczyć. W tym idiotycznym wywiadzie dziennikarka zadaje mu pytanie: *Mężczyźni lubią być pionierami w każdej dziedzinie, a tutaj trafia się panu szansa tworzenia z dziewczyny kobiety. Czy to pana ekscytuje?* Zygmunt odpowiada: *Szansa podwójna, bo także tworzenia z uczennicy aktorki, jestem szczęściarzem. Zabawa w Pigmaliona może być naprawdę ekscytująca...* Wolałabym myśleć, że tę jego wypowiedź spreparowała zdolna redaktorka, jak moje niektóre wypowiedzi. W głębi czułam jednak, że to były jego własne słowa. Może gdyby jakoś inaczej to ujął, gdyby powiedział jak tamten stary pisarz zakochany w szalonej pięćdziesięciolatce: „Ty to mój styl"... Czy raczej: „Ona to mój styl", bo wówczas nie mówiłby tego do mnie, lecz o mnie. Ale Zygmunt się wyraził... właśnie tak, brzydko się o mnie wyraził, i to mu zapamiętałam. I odpowiadałam na to w myślach, a moja odpowiedź była coraz dłuższa i coraz bardziej mu nieprzychylna. Zaczyna się od tego, że wcale nie miał zbyt dużego wpływu na moje aktorstwo, sama się wielu rzeczy nauczyłam, sama też dochodziłam ze sobą do ładu, dokładnie tak jak teraz. Mój talent był nieokiełznany, nie mieścił się w sztywnych ramach Szkoły, Zygmunt musiał go więc raczej przycinać niż rozwijać. Elżbieta powiedziała, że udało mi się z filmem, bo potrafiłam szybko zgubić szkolną manierę. I chyba miała rację, gdyż po opuszczeniu murów mojej szacownej uczelni miałam wrażenie, że jakoś łatwiej mi się oddycha... I poszłam na żywioł, Irinę zagrałam bardzo nieprofesjonalnie, ale właśnie dlatego wszyscy tak się zachwycali. Zygmunt początkowo starał się mnie okiełznać, potem jednak pozwolił mi grać tak, jak czuję... Więc jego rola w moim życiu polegała na tym, że mi nie przeszkadzał być sobą, że nie uczynił ze mnie bezdusznego automatu, który powtarza teatralne kwestie zgodnie z wyuczonym przez lata schematem. To dużo. Ale daleko mu do Pigmaliona... Moimi nauczycielami byli ci wielcy. Łącki, którego oglądałam setki razy w nagranym na kasecie *Szalbierzu*, i Janusz Gajos, drugi mój nauczyciel. W *Kolacji na cztery ręce* wcielił się w Jana Sebastiana Bacha. Za każdym razem, kiedy odtwarzałam kasetę z tym przedstawieniem, nie mogłam się nadziwić, że twarz o pospolitych raczej rysach jest w stanie przekazać widzowi najbardziej skomplikowane nawet uczucia. Każde drgnienie mięśnia, skrzywienie ust, śmiech – wszystko miało tu swoje znaczenie, było teatralnym znakiem. Dla mnie geniuszu. Tak więc podpatrywałam w teatrze mężczyzn, a nie moje koleżanki. Zygmunt oczywiście nie miał o tym pojęcia. Być może to, co wyznał dziennikarce, było nawet szczere. A znaczyło tyle: ożeniłem się z młodziutką dziewczyną, bo dla niej jestem autorytetem, bo mnie podziwia, bo ze mnie czerpie, a ja z kolei uczę się od niej młodzieńczego entuzjazmu...

Mój młodzieńczy entuzjazm, ha, ha, ha! Przecież ja dźwigałam na swoich barkach wieki lęków i niepowodzeń moich poprzedników, ja, komediantka, przejęłam w testamencie te wszystkie nieuronione łzy porażki. Triumfy się nie gromadzą, triumfy ulatują w powietrze jak kolorowe motyle, to tylko klęski trzymają się siebie kurczowo i rosną, rosną...

Ja to już wiedziałam, niestety. Wyszłam za Zygmunta, bo się w nim zakochałam, ale od dawna nie był dla mnie autorytetem, raczej wzruszało mnie to, że nim nie jest... Rozczulał mnie ten wiecznie zaaferowany, gubiący się pośród rozlicznych zajęć mój szkolny profesor, który upierał się, aby być aktorem, i nie bardzo mu to wychodziło. Tak sobie myślałam, ale tamtego dnia, podczas próby generalnej *Zmowy świętoszków*, kiedy Zygmunt naprawdę zagrał, zrozumiałam, jak bardzo mi w nim tego brakuje...

Na pewno nie szukałam w niej matki, chociaż mogłaby nią być. I ona nie traktowała mnie jak córki. To była prawdziwa przyjaźń, tak rzadka w moim środowisku. Może dlatego środowisko nie potrafiło jej zrozumieć, zaczęły krążyć na nasz temat obrzydliwe plotki, jak przedtem o mnie i Zygmuncie. A właśnie w naszym przypadku, moim i Elżbiety, można było mówić o zabawie w Pigmaliona...

Kolejna próba, której tak się bałam, okazała się zwycięstwem. Miałam tę rolę, trzymałam ją mocno, nie pozwalając jej się wymknąć spod mojej kontroli.

Kolega grający Szatana leżał wyciągnięty na sofie, miał na sobie długą koszulę, pocerowaną, i co tu mówić, brudną. Oczywiście taka miała być ta koszula. Rozchełstana na piersi, na której dodatkowo spoczywał misternie wykonany z ciemnego kamienia skarabeusz, zawieszony na złotym łańcuszku.

Zaczyna się próba, wchodzę. Hella naciera Wolandowi kolano, a on trzyma w ręku figurę szachową; gra w szachy z Behemotem – w tej roli jeden z milszych moich kolegów – który na widok Małgorzaty chowa się pod sofę.

WOLAND: *Witam cię, królowo, i proszę, byś mi wybaczyła mój domowy strój.*

Podnosi z łoża szpadę i z impetem wsuwa ją pod sofę.

WOLAND: *Wyłaź, przerywamy partię. Mamy gościa.*

I na to ja:

– *Ależ, messer...*

Jest w tym wszystko, w tym zawołaniu jest to, czego przez kilka tygodni nie mogłam odnaleźć. Małgorzata powiedziała to cicho, ale wyraźnie, a potem się uśmiechnęła.

MAŁGORZATA: *Bardzo proszę, niechże pan nie przerywa sobie partii. Jestem pewna, że każde pismo szachowe wiele by zapłaciło za to, by móc tę partię przedrukować!*

To zdanie wypowiedziane dawnym głosem, z dawnego wnętrza... Odczuwam triumf, starając się, aby inni go nie dostrzegli, ale oni i przedtem byli głusi. Nie zauważyli niczego, co się ze mną działo, albo taką byłam dobrą dublerką samej siebie...

Po powrocie z próby nie potrafiłam znaleźć sobie miejsca. Wydarzył się cud, a nie mogłam nikomu o tym powiedzieć. Nawet Zygmuntowi. Tylko Elżbieta potraktowała serio moje kłopoty, dlatego zgodziła się na czytaną próbę w swoim domu... Uważałam, że to wszystko przesądza. Nie do końca zdając sobie sprawę, co robię, zapakowałam trochę rzeczy. To było jak wewnętrzny nakaz, jakbym po prostu musiała zjawić się pod jej domem z walizką. I nie drążyłam też pytania, czy odchodzę od Zygmunta na trochę, czy na zawsze.

On ciągle czyta. Szeleszczą kartki.

– *W tym momencie scena zaludnia się postaciami, to już nie są zjawy, to żywi ludzie. Aktor orientuje się nagle, że nadszedł dzień i zaczyna się próba. Nabiera powietrza w płuca:*

KRÓL LEAR: *Więc jakieś życie świta przede mną. Dalej, łapmy je, pędźmy za nim, biegiem, biegiem...*

Zawiesza głos. Potem słyszę:

– *Wiadomo, że to były ostatnie słowa roli i w ogóle ostatnie słowa wypowiedziane przez Tadeusza... Wybiega za kulisy, tam pada... Tutaj, w filmie, usłyszymy odgłos upadającego ciała, ale po chwili Aktor wyjdzie, by się ukłonić. Dajemy widzowi w ten sposób do zrozumienia, że jeżeli ktoś jest naprawdę wielki, potrafi oszukać nawet śmierć...*

A ty chcesz oszukać samego siebie – pomyślałam.

Znowu jestem w jej przedpokoju i stoję pod tym samym regałem.

– Pokój na górze czeka – mówi, nie zadając zbędnych pytań.

Ale zadał je Zygmunt, kiedy zadzwonił wieczorem.

– Czy jest tu moja żona? – spytał ją wprost, bo to ona odebrała telefon.

– Która?

– Nie mam ochoty na żarty.

– Nikt nie ma zamiaru żartować. Są tutaj twoje dwie żony, starsza i młodsza.

– I jak długo będą razem?

– Sam ją spytaj – odrzekła, podając mi słuchawkę.

Przełknęłam ślinę, bo zrobiło mi się sucho w gardle.

– Zygmunt... – zaczęłam. – Ja ostatnio miałam ze sobą kłopoty i... zdecydowałam się pomieszkać u Elżbiety...

– A dlaczego nie u królowej angielskiej?

Był bardzo zdenerwowany, nie potrafił niemal zapanować nad swoim głosem. Zawodziła go jego słynna dykcja, ale przez to przestawał być taki układny. Właśnie ta układność niszczyła mu role.

– Czy ty wiesz, co będzie? Cała Warszawa pęknie ze śmiechu.

– Już raz to przerabialiśmy.

– Wtedy byłem jednak mniej śmieszny.

– Boisz się Warszawki? – wtrąciła Elżbieta, która, jak się okazało, przysłuchiwała się rozmowie z drugiego aparatu.

Byłam tak samo zaskoczona jak Zygmunt.

– Nie mogłam sobie odmówić, musiałam usłyszeć, co jej odpowiesz – w jej głosie pojawiła się nuta zjadliwej satysfakcji. – Czy to samo co mnie, gdy cię błagałam, abyś nie odchodził z domu. Cała Warszawa będzie o tym trąbić, powiedziałam ci wtedy. A ty mi odpowiedziałeś... Pamiętasz może co?

– Nie pamiętam.

– To ja ci przypomnę. Powiedziałeś wtedy: „Co myślą inni, to sprawa drugorzędna. Mam prawo do szczęścia jak pucybut czy maszynista".

– Ale teraz mam zostać rektorem.

Elżbieta parsknęła do słuchawki:

– Oto odpowiedź godna Hamleta.

Zygmunt się rozłączył, a mnie zrobiło się przykro. Nie chciałam mu komplikować życia, nie zdawałam sobie sprawy, jak to będzie z zewnątrz odbierane. Już dawno nie myślałam „mąż i dwie żony", raczej myślałam o nas trojgu: Elżbieta, Zygmunt i ja. I nagle dotarło do mnie, że muszę pomiędzy nimi wybierać, skoro uczyniłam taki krok, doprowadzając do konfrontacji.

Wolno weszłam po schodach do pokoju, który Elżbieta dla mnie przygotowała, zaskoczyło mnie posłane łóżko i rozłożona na nim koszula nocna. Zupełnie jakby wcześniej wiedziała, że się u niej zjawię. To była chyba nawet ta sama koszula, w której już tutaj nocowałam, tylko świeżo uprana i uprasowana. Czy to nie jest jakaś nowa pułapka? – pomyślałam. A ja, czy nie jestem tylko bezwolnym narzędziem w jej rękach? Wydawało się, że sama podjęłam decyzję, by opuścić Zygmunta na jakiś czas. Bo to na pewno nie było rozstanie. Chciałam pobyć sama, zastanowić się, co dalej. Sądziłam, że Elżbieta udzieli mi po prostu dachu nad głową, a wyglądało na to, że zostawiłam Zygmunta i przyjechałam tutaj, by teraz być z nią. Tak to właśnie wyglądało. Jak ona mogła podsłuchiwać naszą rozmowę i jeszcze się do niej wtrącić. On na pewno teraz myśli, że razem to zaplanowałyśmy i że ta rozmowa na trzy głosy nie jest przypadkiem, ale świadomym działaniem. Być może, ale nie moim. Jej. Nie, nie, to było bardzo wobec niego nie w porządku. Nie zasłużył sobie na to. Przecież nawet zgodził się zagrać z nami obiema w *Zmowie świętoszków*, chociaż nie był tym pomysłem zachwycony. Mógł odmówić albo jakoś ten wspólny występ storpedować. Mógł wpłynąć na reżysera, przecież są kumplami, a nie zrobił tego. Powiedział, co o tym myśli. To wszystko, żadnych innych nacisków. A my teraz wystąpiłyśmy razem przeciw niemu, to znaczy z jego strony tak to wyglądało. Jak zmowa kobiet...

Postanowiłam porozmawiać o tym z Elżbietą jeszcze tego wieczoru. Zapukałam do jej pokoju i nacisnęłam klamkę.

Zastałam ją klęczącą przy łóżku, z twarzą ukrytą w dłoniach. W pierwszej chwili pomyślałam, że płacze, ale ona się modliła. Kiedy spojrzała w moją stronę, coś we mnie drgnęło. Magdalena... Więc ten przerwany spektakl ciągle trwa i my, chcąc nie chcąc, gramy swoje role, ona, ja i Zygmunt. A raczej nie Zygmunt, Molier...

– Chciałaś czegoś? – spytała, ciągle klęcząc, jakby miała zamiar powrócić za chwilę do modlitwy.

– Chciałabym coś wyjaśnić... – zaczęłam niemal wrogo.

– Więc słucham. – Tym razem podniosła się z kolan i usiadła na łóżku, z twarzą Magdaleny Béjart. Była w swojej ciemnej sukni.

– Możesz mi podać tytuł sztuki, w której gramy wszyscy troje?

Uniosła lekko brwi i było to arcyteatralne zdziwienie.

– My troje? Mieliśmy zamiar razem zagrać, ale to już przeszłość.

– Jesteś pewna?

– Jak najbardziej.

– To dlaczego dzisiaj nie dałaś mi porozmawiać z moim mężem?

Uśmiechnęła się lekko.

– To ja z nim rozmawiałam, ty się wtrąciłaś do rozmowy, oczywiście za moim przyzwoleniem. Sama ci oddałam słuchawkę.

Uczułam gorąco na policzkach.

– Nie odwracaj kota ogonem! A poza tym mam wrażenie, że nie zjawiłam się tutaj z własnej woli, ty mnie jakoś ściągnęłaś...

Zaprzeczyła ruchem głowy, ciągle z tym uśmieszkiem jakby triumfu.

– Nie ja cię tu ściągnęłam, tylko los, los jest nierychliwy, ale sprawiedliwy...

Chyba mówi się „Pan Bóg" – zamajaczyło mi w głowie.

– Długo na to czekałam, całe lata. Kiedy nie wracał na noc albo znikał na kilka dni i wiedziałam, że pojechał do Krakowa, do swojej kochanicy, wszyscy to wiedzieli. I tam, i tutaj. A w końcu mi oświadczył, że się zakochał i wyprowadza się do swojej lubej.

– Do mnie – rzekłam cicho.

– Do ciebie, do ciebie. Ale powiedziałam ci, że oddałaś mi więcej, niż wzięłaś. A teraz zwróciłaś mi już resztę...

– Ale teraz ty mi coś odebrałaś! – rzekłam ostro.

– Jego? Przyjmie cię w każdej chwili. I dlatego że cię chyba kocha, i że bałby się skandalu. Przecież słyszałaś, ma zostać rektorem. Więc my też awansujemy, ja jako była, a ty jako obecna pani rektorowa.

Trzęsłam się cała ze zdenerwowania, czułam, że jestem na granicy łez.

– Proszę cię, zostań do rana – powiedziała. – Daj mi tę noc, to będzie dla mnie noc triumfu.

Patrzyłam na jej twarz poznaną w najdrobniejszych szczegółach, tyle razy się przecież w nią wpatrywałam, jakbym z jej wyrazu odczytywała zapadający wyrok, pomyślny dla mnie lub nie. To zależało, o czym miała wyrokować, o moim istnieniu w teatrze czy w życiu prywatnym, a może o jednym i o drugim. Teraz ona wpatrywała się tak we mnie. Zauważyłam, że ma opuchnięte powieki i zmarszczki wokół oczu, wydawała się starsza, niż była w rzeczywistości. Tak bardzo nie chciałam jej zranić, a mimo to włożyłam płaszcz, ujęłam nierozpakowaną walizkę. Schodząc po schodkach jej domu, miałam nieodparte wrażenie, że właśnie wygaszają na scenie światła.

Zygmunt nie spał, słysząc zgrzyt klucza w zamku, podszedł do drzwi. Sam mi je otworzył.

– Głupio wyszło z tym rektorem – to były jego pierwsze słowa.

– W ogóle głupio wyszło – odrzekłam.

Krążyłam między nimi jak meteor, a wiadomo, że meteory mają krótki żywot... Czy ja...

Siedzieliśmy przy stole w naszej kuchence, a ja ciągle nie mogłam pozbyć się wrażenia, że gra się toczy. Tym razem na scenie kameralnej.

– Zygmunt... z Elżbietą to nie wygląda tak, jak mógłbyś myśleć.

– A o czym ty myślisz? – zaperzył się.

– Nie, nie, wcale nie o tym, co tobie chodzi po głowie w tej chwili. To, o czym ja myślę, mogłoby wyglądać na odgrywanie się na tobie... Jej poprzez mnie.

Uśmiechnął się gorzko.

– A tak nie jest?

– Ja i ona... My siebie potrzebujemy... I to ciebie na pewno nie dotyczy. Ale jednak jest nas troje, a to wszystko bardzo komplikuje...

Zygmunt pokiwał głową, jakby się ze mną zgadzał.

– Ona cię wykorzystuje. Rozumiesz? – usłyszałam.

– Mylisz się, to jest zależność w obie strony.

– Tylko że tą drugą stroną jestem ja, nie ty!

Przestraszyłam się, że może mieć rację. Chyba jednak nie. Bo to był materiał na rolę wodewilową, a rozgrywał się przecież prawdziwy dramat. Nikt z nas trojga nie był śmieszny, tylko z zewnątrz mogło to tak wyglądać.

– W pewnym momencie miałam uczucie scenicznej śmierci, ona pomogła mi się odnaleźć.

Zygmunt patrzył na mnie szeroko otwartymi oczami.

– I kiedy to niby było?

– Niedawno.

– Nic nie zauważyłem.

– Nie mogłam, nie chciałam ci powiedzieć. Zwróciłam się do Elżbiety. Nie zlekceważyła tego, co się ze mną dzieje, i te proporcje pomiędzy sceną i życiem powróciły na miejsce.

– I tak by powróciły, taka jest kolej rzeczy. Jakaś rola nam załazi za skórę, a potem sama odpada.

– Ale ta rola nie chciała sama odpaść, a jeżeli odpadała, to razem z moją skórą. To było jak horror, zupełnie jakbym miała na sobie żywe mięso...

Uśmiechnął się i widziałam, że mi nie dowierza, uważa, iż przesadzam, koloryzuję. Więc umilkłam.

Poszliśmy do łóżka. Byliśmy ze sobą w jakiś szczególny sposób, to znaczy dzieliłam z nim fizyczną bliskość, ale zabrakło tej ogólnej harmonii, zespolenia z drugim człowiekiem.

– Tęskniłem do ciebie – szepnął.

– Bo jestem twoją blond maskotką, twoimi młodymi hormonami...

– Co ty pleciesz! Ty! Ty i maskotka, z twoim charakterkiem. Wykończyłabyś boksera wagi ciężkiej, co więc mówić o starym aktorze.

– Jesteś dla mnie troszkę za młody właśnie, wolałabym...

– Widzieć we mnie bardziej ojca niż kochanka. – Roześmiałam się, napięcie mnie z wolna opuszczało, nie dokonał tego seks, ale nasza rozmowa, jedna z tych nieco żartobliwych, niemniej znaczących. Bo to tak, jakby Zygmunt mi mówił: „Ty to mój styl"...

– Ja cię przyuważyłem, bo ile razy dostawałaś nawet maleńką kwestię, potrafiłaś z niej zrobić coś własnego. Obserwowałem to twoje zespolenie z rolą jak cud... Patrzyłem na ciebie, jak grałaś Julię. Ty byłaś tą drobniutką trzynastolatką, byłaś nią!

– Właśnie, bo mnie w porę nie powstrzymałeś.

– Nie mogłem.

– W pewnej chwili zbyt ucierpiałam. To tak, jakbym oddała z siebie wszystko, a więc jakoś umarła.

Pogładził mnie po policzku.

– Kochanie, tak się dzieje z każdym aktorem prawdziwym, ale potem on się odradza, taka jest kolejność.

– Ale ty mnie tego nie nauczyłeś, a teraz mam poczucie kalectwa. Boję się, że nagle odpadnie mi ręka albo noga, bo już nie należy do mnie.

– O Chryste, Julio!

– Powiedziałeś „Julio"?

– No widzisz, bo dla mnie jesteś Julią, tym cudownym zjawiskiem...

– Ale ta Julia ci robi numery.

– A tamta nie robiła? Zrobiła mu numer śmiertelny...

Więc teraz już we wszystkim jestem do niej podobna. Tylko że ja wstanę z letargu, bo mój kochanek wierzy, że jeszcze nie wszystko stracone. A gdyby nie wierzył... Czy postąpiłby jak tamten? A jak ja bym postąpiła? Na scenie postąpiłabym tak, jak nakazywał tekst sztuki...

Po wywiadzie w polskim „Paris Matchu" nie dawano nam spokoju. Ciągle jakaś dziennikarka domagała się spotkania. A kiedy odmawialiśmy, zaczęły się pojawiać już sfingowane od początku do końca rozmowy z nami. Doprowadzało mnie to do wściekłości, chciałam nawet pisać sprostowania, podawać te kolorowe magazyny do sądu, ale Zygmunt mi to wyperswadował.

– Niewarte zachodu – powiedział.

Być może dlatego, że to ja wychodziłam na idiotkę. *Aleksandra Polkówna do szaleństwa zakochana w swoim mężu, Polkówna patrzy na świat oczami Zygmunta Kmity!* A jak było naprawdę? Czyimi oczyma patrzyłam na świat... Bałam się do tego przyznać nawet przed sobą. Bałam się przyznać, że zatarły mi się proporcje pomiędzy fikcją a rzeczywistością. Zygmunt uważał, że to przemęczenie i wystarczy wyjechać na wakacje...

Więc wyjechaliśmy. Nie nad ciepłe morza, jak nam to wmawiały ilustrowane pisemka, lecz nad Bałtyk. Za to mieszkaliśmy w prawdziwym zamku, niedawno wzniesionym z gruzów. Przypominał trochę makietę, ale okna naszego pokoju wychodziły na park, w którym rosły pięćsetletnie platany. Jeździliśmy na plażę i okopując się, i osłaniając od wiatru wzorzystym parawanem, wystawialiśmy ciała do słońca. Ciało... moje ciało... jeszcze młode i jędrne, przedmiot pożądania... ale jak długo... Kiedy się to skończy... Kiedy skończyło się dla Elżbiety, po drugim dziecku? Czy trochę później... Kiedy odkryła, że jej ciało już nic dla niego nie znaczy? Kiedy zaczął się od niej odwracać...

– Twój brzuch – słyszę jego szept – zawsze mnie podnieca...

Odbieram to ze wzdrygnięciem, jakby coś zimnego spoczęło na mnie. Ręka śmierci – myślę zupełnie bez sensu, przecież to szept miłosny, a miłość jest jak najdalsza od śmierci... Czyżby? – ten niedobry głos we mnie. – A Julia? Jak blisko jej miłości była śmierć, zbyt blisko...

Jakieś towarzystwo okopane w piasku niedaleko nas komentuje głośno teksty w kolorowym magazynie. Znowu to! Nie mogę od tego uciec. Na szczęście tym razem nic o mnie. Nowa sensacja, śpiewak operowy, płomienny Hiszpan, zakochał się w młodziutkiej Polce. Podobno przysyła po nią samolot co weekend. I w ogóle szaleje.

– Nic dziwnego, trzydzieści lat różnicy! – mówi czyjś głos.

Więc zawsze to samo, młode hormony, wymiana starych ciał na młode. Tylko że jest to wymiana jednostronna, młode są one, nie oni. A mnie wciąga się w to przez przypadek, różnica wieku się zgadza, to wszystko.

– Ona ma na imię Patrycja – słyszę.

– To chyba nie Polka?

– Polka.

– Eee tam, jakby słynny tenor zakochał się w Jadźce albo w Zośce, to byłby numer, ale w Patrycji!

Śmiech.

Za parawanem jest ciepło, czuję promienie sło-
neczne na skórze. Mam zamknięte oczy, słyszę szum
fal. Powinnam się odprężyć i nie myśleć o niczym,
przecież po to tu przyjechałam. Żeby nie myśleć o niczym. A jednak myślę... Jestem prześladowana przez
dwie kobiece postacie. Przez Magdalenę i Małgorzatę, przez Magdalenę uosobioną i Małgorzatę bez twarzy... To jest chyba najtrudniejsze, że nie potrafię jej
zobaczyć. A może nie chcę. Może się boję... Że ona
mi coś odbierze, że jeżeli tylko pozwolę jej się do siebie zbliżyć, dojdzie do jakiegoś nieszczęścia. Nikt
tego dotąd nie zauważył, mojego lęku. Ale jak długo
można oszukiwać... Zaraz po wakacjach premiera...
I muszę w niej wystąpić jako postać, której do tej pory
nie potrafiłam stworzyć. Zdarzały mi się przebłyski,
budziła się nadzieja i zaraz umierała. Ile tych pogrze-
bów przeżyłam ostatnio. Tyle, ile prób... A jeżeli ona
mi naprawdę ukradła duszę? Tylko która z nich?

Wprost z plaży pojechaliśmy do smażalni placków kar-
toflanych w Juracie. Tam są naprawdę bardzo smaczne
placki. Takich nie ma nigdzie. Widocznie właściciele
małej budki, w której mieszczą się tylko dwa stoliki,
mają jakiś własny przepis, tyle że nie wiadomo na co,
na ścieranie kartofli czy na ich smażenie, a może na
jedno i na drugie. Siedzimy przy stoliku i czekamy

na zamówione porcje, obok rozsiadła się grupa młodych ludzi, trzy dziewczyny i chyba z sześciu czy siedmiu chłopaków. Wydzierają się, gadają głupstwa, śmieją się za głośno. Trochę mnie to denerwuje, ale gdzieś w głębi im zazdroszczę. Oni są wolni, naprawdę wolni. Przysiedli na chwilę i zaraz gdzieś odlecą jak stado ptaków. Wystarczy im byle gałązka i trochę wody... A ja... ja siebie przehandlowałam... Nieważne, czy za odpowiednią cenę. Liczy się sam fakt. Więc nie ma co się oszukiwać i gadać o zmęczeniu i potrzebie wakacji.

– O czym myślisz? – Zygmunt z uwagą mi się przygląda.

Czuję się jak przyłapana.

– Myślę o...

I nagle pustka. Nie wiem, co odpowiedzieć.

– A ty o czym myślisz? – zadaję wreszcie pytanie, ale brzmi jakoś głucho.

– Że mam ochotę potańczyć.

– Co?

Śmieje się, widząc moją minę.

– Chcę potańczyć z moją ukochaną żoną.

Ale czy to na pewno chodzi o mnie! I ta myśl nie opuszcza mnie do końca wieczoru, który przeciągnął się w noc. Zygmuntowi udało się mnie namówić na pozostanie w restauracji, mimo że na podium zasiadła orkiestra i zaczął się tak zwany wieczór taneczny przy świecach. Zwykle zjadaliśmy kolację i umykaliśmy na górę. I tak mieliśmy tu większą swobodę niż inni, bo kelnerzy wpuszczali nas prosto z plaży. Zygmunt nosił krótkie spodenki i koszulkę, ja kusą bluzkę i wystrzępione dżinsy, na nogach klapki, a od piątej po południu obowiązywały stroje wieczorowe.

– Panie Zygmuncie – szef sali ściszał głos. – Tylko proszę się nie rozsiadać, bo będę miał nieprzyjemności od dyrekcji.

– Ależ skąd – wrzucimy z żoną coś na ruszt i już nas nie ma.

Zawsze mnie fascynowały te jego pogaduszki z nieznajomymi. Nie wyobrażałam sobie, aby ktoś obcy mógł się tak do mnie odezwać. Po imieniu. I może dlatego nikt tego nie robił. Natomiast Zygmunt był niejako własnością ogółu. Przypadkowi ludzie zagadywali go, uśmiechali się do niego. W ten sposób dowiedziałam się, że mój mąż grywa na wyścigach konnych. Kiedyś na ulicy podszedł do nas podejrzany osobnik i spytał Zygmunta, czy wybiera się w sobotę na Służewiec.

– Panie Julku, nie przy żonie – zażartował Zygmunt, ale był wyraźnie zmieszany.

A potem próbował się tłumaczyć, że czasami dla oddechu jeździ popatrzeć na konie. I wysoko nie obstawia.

– Przecież wydajesz swoje pieniądze – powiedziałam.

– To są nasze pieniądze – odrzekł urażony.

Tak bardzo mu zależało na wprowadzaniu liczby mnogiej: my, nas, z nami. Podczas gdy ja uparcie mówiłam i myślałam: ja, on...

Użyłam wszystkich możliwych sposobów, aby się od tej potańcówki wykręcić. Ale on, ku mojemu zaskoczeniu, zdołał obalić nawet mój koronny argument: brak sukienki. Po prostu sięgnął do szafy i wyczarował z niej, bo jak inaczej, suknię dla mnie. Była zwiewna, na ramiączkach, z dużym dekoltem na plecach.

– Skąd? – spytałam tylko.

– Od Białej Damy – wyszeptał, z komiczną miną rozglądając się na boki. – Po moich błaganiach pożyczyła ci strój na ten wieczór...

I chyba nieźle w nim wyglądałam. Biel sukienki ładnie odbijała od mojej opalenizny. Włosy upięłam wysoko. Tańczyliśmy ze sobą, nie wiem, czy nie po raz pierwszy. Nie ma co ukrywać, oboje sporo wypiliśmy i to nam pozwalało nie dostrzegać spojrzeń od sąsiednich stolików. Cudzoziemcy, przeważnie przybysze z Niemiec, nas nie rozpoznawali, nie dało się jednak tego powiedzieć o innych. Gapili się na nas, szczególnie kobiety, obwieszone biżuterią w najgorszym guście, przesadnie umalowane. Były towarzyszkami życia rodzimych biznesmenów, czy jak się ich nazywało, mężczyzn w białych skarpetkach. Szedł od nich odór dobrych gatunkowo, tyle że używanych z przesadą wód toaletowych. Ale wszystko to drażniło mnie tylko do pewnego momentu. Alkohol mnie rozluźnił, poczułam miły szmer w głowie. Przytulałam się do Zygmunta w tańcu, jak kiedyś, dawno, czułam tuż obok bicie jego serca: tak, tak, tak... Odpowiadałam w myślach: Tak! Dlaczego nie? Tak! I nagle pojawiła się nadzieja, że wszystko się jeszcze ułoży. Gotowa byłam nawet przystać na pertraktacje z Małgorzatą. Już się jej tak strasznie nie bałam... Orkiestra zagrała tango. Wykonaliśmy z Zygmuntem kilka figur, może i nieco przesadnie, gdy nagle usłyszałam w sobie wyraźny głos: „Przecież to jest taniec dla dwojga, nie dla trojga..."

Ale druga partnerka już nadchodziła, zobaczyłam ją, jak się przeciska w naszą stronę w kolorowym tłumie.

Łatwo ją było zauważyć, bo miała na sobie tę czarną, wypożyczoną od Magdaleny Béjart suknię. Jak nas tutaj znalazłaś? – chciałam ją zapytać, ale nie zdążyłam, bo mi nagle zniknęła. Oderwałam się od Zygmunta i roztrącając ludzi, zaczęłam jej szukać. Komuś nastąpiłam na nogę, kogoś innego uderzyłam łokciem. Niewysokiej tłustej blondynce zepsułam fryzurę. Widząc jej pełen niedowierzania wzrok, chciałam się za-

215

trzymać, ale nie mogłam. Coś mnie pchało do przodu. Bo przecież musiałam ją odnaleźć. Tańczące pary schodziły mi z drogi, a ja się miotałam po całej sali w poszukiwaniu znajomej sylwetki w czerni. W końcu Zygmunt do mnie dotarł i silnie przytrzymał za ramię.

– Co ty wyprawiasz! – rzekł ostro, ale kiedy na niego spojrzałam, wyraz twarzy mu się zmienił. – Co się stało? – spytał z przestrachem.

– Zabierz mnie stąd...

Prowadził mnie po schodach, obejmując ramieniem jak chorą. I tak się czułam, moja teatralna choroba dawała o sobie znać z całą siłą.

Tej nocy zobaczyłam Elżbietę po raz drugi, tym razem we śnie. Miałam ją na wyciągnięcie ręki w tym czarnym przebraniu. Z twarzą mniszki.

– Dlaczego nie przyszłam na premierę?

Śmieje się, ale w oczach ma jakiś nadmierny smutek.

– Bo wybrałam Chrystusa. Jemu oddałam swoją rolę. Wielką rolę. Przyznasz, że to była moja sztuka i moja rola.

– Tak – odpowiadam. – I dlatego nigdy cię nie zrozumiem.

A ona ciągle się śmieje.

– Już dobrze...

Po przebudzeniu myślałam o tym śnie. Że to mogło być prawdopodobne. Ta rezygnacja z czegoś, na czym każdemu aktorowi najbardziej zależy. Zagrać wielką rolę.

I ona miała tę szansę, ale z niej nie skorzystała. Potrafiła się wycofać, ja nie potrafię. Na tym polega mój dramat.

Ale kiedy potem leżałam w naszym dołku za parawanem, z zamkniętymi oczami, przyszło mi do głowy, że jej motywacje mogły być zgoła inne. Nagle na próbie generalnej Zygmunt zaczął grać. Wszyscy widzieli, że postać Moliera, którą tworzy, jest prawdziwa. A o to przecież chodzi w teatrze: tak przedstawić fikcję, żeby stała się kawałkiem prawdy. I to był najprawdziwszy kawałek prawdy. Więc jej plan, żeby zatriumfować na scenie, żeby go zmiażdżyć i poniżyć, mógł się nie udać. Nie chciała dopuścić, by on dzięki niej odbił się wreszcie od przeciętności. Nie o to jej przecież chodziło. Więc nie przyszła. I on nie zagrał swojej życiowej roli. W zmienionej obsadzie nikt z nas nie zabłysnął, byliśmy jak tułów bez głowy, który porusza się, gestykuluje, ale jest niemy i ślepy...

Czekałam, że sen się powtórzy. Urwał się w połowie zdania. A ja bardzo byłam ciekawa, co mi chciała powiedzieć. Co miały oznaczać jej słowa. „Już dobrze”... To tak naprawdę nie znaczyło nic, chyba że zaraz po tym następowało jakieś nadzwyczaj ważne wyznanie...

Spod przymkniętych powiek spojrzałam na Zygmunta, leżał na wznak, z twarzą wystawioną do słońca. On też miał prawo ją obwiniać o straconą szansę... Wtedy na próbie generalnej, gdy wypowiedział słowa umierającego Moliera: *Zawołajcie Magdalenę! Ona mi poradzi... Na pomoc...* – pomyślałam z bólem, że być może odszukałam ją, bo chciałam od niej tego samego. Chciałam, aby mi poradziła, jak odnaleźć mężczyznę, który mi się zagubił, a którego ona tak dobrze znała... I być może bym go odnalazła na scenie, gdyby nam na to pozwoliła, gdyby tak nagle wtedy nie zniknęła... Jakie to wszystko było aktualne. Lagrange, a raczej aktor, który go grał, wołał: *Szanowni państwo, proszę... opuścić teatr! W teatrze zdarzyło się nieszczęście...* W teatrze naprawdę zdarzyło się nieszczęście, gdy do garderoby wszedł reżyser i oznajmił, że ona nie przyszła...

Tak się to pogmatwało, sztuki teatralne, słowa. Sztuka w sztuce... *Chory z urojenia* w *Zmowie...* Studentka Zygmunta woła z przejęciem: *Czy przysięgasz na statuty lekarskiego fakultetu?* A Molier podnosi dwa palce do przysięgi.

MOLIER: *Iuro...*

Nagle chwyta się za serce, a potem pada na deski sceny.

MOLIER: *Zawołajcie Magdalenę!*

Właśnie, zawołajcie Magdalenę... zawołajcie ją!

Jacyś ludzie za parawanem obok grają w brydża.
– Dwa bez atu.
– Pas.
– Trzy trefle.
Unoszę się na łokciu.
– Zygmunt... Chyba chcę od ciebie odejść...
Twarz wystawiona do słońca. Zygmunt nie zmienia pozycji. Nie otwiera oczu.
– Olu, skończ te swoje rekolekcje.
– Nie umiem.
– Skończ z tym. Opalaj brzuch!

Opalenizna z mojego brzucha jeszcze nie zeszła, nadmorskie słońce długo pozostawia na ludzkiej skórze swój ślad... Mam ślad słońca tylko na skórze. W środku jest ciemno...

Prawda była taka, że bałam się powrotu z wakacji. Bałam się wejścia na scenę... Tak bardzo się bałam, że kiedy zobaczyłam te światła tuż naprzeciwko, pomyślałam, że to dobry pretekst... Odroczenie. Noga albo ręka w gipsie... Nie chciałam, żeby to był koniec. Chciałam jedynie zagrać na zwłokę... I wreszcie z nią porozmawiać. Ułożyłam sobie całe przemówienie do niej i powtarzałam je każdego dnia w czasie tych wakacji. Wiedziałam, co jej chcę powiedzieć. I jakie zadać pytania. Nareszcie to wiedziałam. Ale nie zastałam jej w domu. Jej miły sąsiad, siwy pan, oznajmił, że Elżbieta wybrała się z pielgrzymką do Częstochowy. Wróci za trzy tygodnie. Trzy tygodnie! Wtedy będzie po premierze, a ja nie byłam gotowa. I ona o tym wiedziała! Bardzo dobrze o tym wiedziała i postanowiła mnie ukarać. Zniknąć po raz drugi przed premierą. Tylko że wtedy to była także jej premiera. Tym razem ja miałam ponieść wszystkie koszty. I poniosłam je, decydując się na przyjęcie roli poza sceną...

Ona jednak idzie do mnie, poznaję jej kroki. Wiem, że za chwilę tu wejdzie. Uniosę powieki, długo będziemy patrzyły sobie w oczy.

A potem powie:

– Już dobrze, już z powrotem możesz być aktorką...

Dziś w godzinach wieczornych zmarła, ciężko ranna w wypadku samochodowym, aktorka Teatru... Przed kilkoma laty zadebiutowała w sztuce Czechowa *Trzy siostry*...

Redaktor prowadzący: Dariusz Sośnicki
Redakcja: Małgorzata Denys
Korekta: Elżbieta Jaroszuk
Redakcja techniczna: Anna Gajewska

Projekt okładki i stron tytułowych: Anna Pol, koniec_kropka
Fotografia autorki: © Daniel Koziński

Wydawnictwo W.A.B.
02-386 Warszawa, ul. Usypiskowa 5
tel./fax (22) 646 01 74, 646 01 75, 646 05 10, 646 05 11
wab@wab.com.pl
www.wab.com.pl

Skład i łamanie: Komputerowe Usługi Poligraficzne
Piaseczno, Żółkiewskiego 7a
Druk i oprawa: Drukarnia Wydawnicza
im. W.L. Anczyca S.A., Kraków

ISBN 978-83-7414-646-3